Lassen oppivuodet

LASSE PÖYSTI
Lassen oppivuodet

HELSINGISSÄ
KUSTANNUSOSAKEYHTIÖ OTAVA

KUVALÄHTEET:
Heikki Havas
Martta Huuskonen
Karjalaisen Kulttuurin Edistämissäätiö
Iris Kosonen
Rolf Köhler
Otavan kuva-arkisto
Pääesikunnan kuvakeskus
Oy Rettig Ab, Varustamo
Sotamuseo
Suomen Elokuva-arkisto
Ruth Surakka
Svenska Teatern
Jaakko Uotila
sekä tekijän omat kokoelmat

Kustannusosakeyhtiö Otavan painolaitokset
Keuruu 1990

ISBN 951-1-11235-X

Lukijalle

Vuosien mittaan ovat useat kustantajat ehdottaneet muistelmieni kirjoittamista. Suomisen Ollin kertomuksen on katsottu kiinnostavan lukijoita.

Kun uudessa keskustelussa Heikki A. Reenpään kanssa syntyi ajatus että kuvaus siitä, miten lapsitähti kaikesta huolimatta selviää ammattiin asti saattaisi omata syvempääkin syytä kirjaksi, alkoi tehtävä kiinnostaa. Vanhasta päiväkirjasta löytyi mukaan autenttista aineistoa.

Vantaalla, toukokuussa 1990
Lasse Pöysti

I

Kulleroryhmä Haavuksen pienessä hiekkarannassa. Onko se tallella? Se oli mielessä matkalla huvilalle keväisin.

Juoksin aina ensimmäiseksi tarkastamaan sen ja harmitti, jos siinä oli mustia hyönteisiä.

Entä ne miljoonat kevätesikot, jotka peittivät niityt helluntaina, kun saaren omassa pienessä kansakoulussa oli kevätjuhla?

Myöhemmin kesällä kukkivat neilikat kalliolla savusaunan yläpuolella ja leikkimökin takana tuoksui se yksinäinen lehdokki, joka oli pyhä.

Vieläkö se elää?

Työmiehet varmaan ovat talloneet sen, kun ovat purkaneet isän rakentaman leikkimökin, niin kuin kuulemma muunkin ihmisen tekemän siellä saaristossa.

Sitä kulleroiden hiekkarantaa nyt ei oikein kannata hiekkarannaksi kutsua. Sen vähäisen hiekan reunasta jatkui kuitenkin tiivis Laatokan pohjamuta, jossa perhosen toukat raahasivat ketterästi raskaita ja epämukavia mutta ilmeisesti vihollisilta suojaavia palttoitaan: tikkuja, korsia, santaa. Siellä puolustivat rautakalat pesiään, siellä luikertelivat iilimadot.

Kauempana, Haavuksen eteläkärjessä, aivan rannan tuntumassa mutta kuudenkymmenen metrin syvyydessä tarttuivat siiat ja merihärät verkkoihimme. Kun verkot keskiviikkoisin koettiin, nousivat kalat uimarakot luonnottomasti paisuneina isoon kalastusveneeseen. Saalis oli runsas, Laatokan siika mehevä, ja tuttavien moottoriveneet sattuivat helposti paikalle.

Verkkoja oli kaikenlaisia. Niitä värjättiin ja savustettiin savusaunassa.

Muikkuverkot nostettiin aamulla huvilan rannasta. Sitten hypättiin veteen ja vedettiin vene köysi hampaissa rantaan. Sisareni Ruth, Rullan, oli meistä paras uimari. Kaikki me osasimme uida. Ja soutaa. Isä opetti hengityksen kumpaankin. Niin kuin laulamiseenkin. Kuvittelimme pystyvämme soutamaan kuinka pitkälle hyvänsä, jos vaan rakot kämmenissä olivat kerinneet siististi puhjeta ja sitten känsäytyä. Suuretkaan selät eivät olleet liian leveitä uimalla ylitettäviksi. Laulajina emme yltäneet yhtä uljaisiin saavutuksiin.

Suurisilmäiset verkot antoivat pikkusiian kokoisia

Haavuksen koulu

muikkuja jotka paistettiin tuoreina aamiaiseksi. Temukin kalasti. Kuumat päivät se seisoi mahakarvat vedessä ja poimi rantakaloja hampaillaan. Kalat se keräsi elävinä lätäkköön saunakalliolle. Päivän saalis saattoi sisältää kymmenkunta vonkaletta.

Illalla soudettiin Palosaaren rantojen ympärille seitsemän ahvenverkkoa. Ne pettivät aniharvoin.

Kun äiti ja minä soudimme verkot sain ensimmäiset kielituntini. Äiti oli nuoruudessaan ollut Saksassa. Lämpiminä Laatokan kesäiltoina hän siirsi kielitaitonsa minulle. Hän kieltäytyi ymmärtämästä muuta kuin saksaa.

– Mutta en minä tiedä yhtään sanaa!

– Kysy niin tiedät.

Ensimmäinen saksankielinen sanani olikin die Netze, verkko.

Saksan matkan oli Signe Maria saanut lohdutukseksi

Pöksyt vinossa rannalla

Isän ja äidin hää-
kuva

onnettomuudesta joka sattui hänelle 17-vuotiaana.
Haulikko laukesi kun hänen veljensä puhdisti sitä.
Haulit veivät säärestä suuren palan. Jalka onnistuttiin
kuitenkin vaivoin pelastamaan. Tämä tapahtui Porissa,
missä Fredrik Emil Köhlerillä oli agentuuriliike ja
Saksan konsulin asema. Suku oli aateloitu 1500-luvulla
Saksassa.

Porissa Signe Einonkin tapasi. Viisi vuotta sai nuori-
pari kulkea käsi kädessä ennen kuin päästettiin papin
eteen. Sinne ei suku tullut. Avioliittoa Pöystin kanssa
pidettiin melkoisena mesalliansina. Taisi olla niin että
Signe sai hyvityksensä vasta sitten kun minusta tuli
kuuluisa.

Nuori toipilas lähetettiin siis vuodeksi isän liiketutta-
van hoiviin Potzdamiin. Vähältä piti ettei minusta
tullut saksalaista, kertoi äiti poikansa soutaessa. Olen
nähnyt kuvia ukko Buchneristä, jolle nuori lammas
olisi ilmeisesti maistunut.

Hyvä Signe, että pidit pintasi!

Olin rakastunut ruskeasilmäiseen äitiini ja rakkaus
kesti loppuun asti. Meidän huumorimme tunsivat toi-
sensa ja nautimme, kun se ärsytti muita.

Hain hänet Sortavalassa joka päivä torilta ja kannoin hänen kassinsa. Tietysti minun kuultiin puhuvan ruotsia hänen kanssaan, mistä sain koulun pihalla turpiini ja nimen Venska-Ville.

Äidille luin Helsingissä öisin keittiönpöydän ääressä ensimmäiset kirjalliset yritykseni ja kerroin hänelle salaisuuteni.

Tosin äiti teki minulle ruman tempun.

Hän lähetti minut ensimmäisenä koulupäivänäni kansakouluun leikkiesiliina päällä. Luokan pienin kun olin, seisoin rivissä ensimmäisenä ja koko koulu nauroi. Niin teki äitikin kun katkerana haukuin häntä.

Hän sai kyllä kaiken anteeksi. Hän omisti minut taistelutta ja näytti selvästi omistusoikeutensa muillekin.

Äidin suomen kieli oli sujuvaa mutta ei erityisen virheetöntä. Kerrotaan nuohoojasta joka Stenfältin talossa oli tullut makuuhuoneeseen ja luullut sen olevan

Äidin kanssa Sortavalan torilla.

11

tyhjä. Äiti istui kuitenkin sängyn laidalla korsetissaan ja kombineesissaan.

– Ei mittä, ei mittä, käykkä päälle vaan, hän sanoi kääntäen sanatarkasti ruotsin kielen: stig på bara . . .

On väitetty, että nuohooja kuitenkin perääntyi hämillään.

Palosaareen oli matkaa ja soudun tahti verkkainen. Kielitunteja kertyi helposti pari kolme illassa. Ja lapsi oppii.

Niin minusta tuli Hitlerjugendien opas Sortavalassa ja Valamossa. Maleksin Sortavalan asemalla kun junasta purkautui joukko partiolaisia. Niin luulin. Hankkiuduin vierelle ja huomasin ymmärtäväni heidän puhettaan. No, siitä juttusille ja kohta olin seurueen keskipiste. Hallitsin sellaiset kikat ja tiesin miten ne tehdään. Siitä on myöhemminkin ollut hyötyä, jos haittaakin. Kahden pojan nimet muistan: Joachim Weissenborn ja Ernst Schmidt, molemmat Magdeburgista. He kävivät meillä kotona lounaallakin ja kuin ennuksena Wehrmachtin marssijalkojen voimasta naisväki tuuletti pontevasti koko sen iltapäivän.

Jaajaa.

Olin kai kahdentoista ja lukenut jo vähän saksaa koulussakin.

Kieliopinnoista huolimatta laskettiin verkot huolellisesti veteen niin, että aamulla niissä oli haukia, ahvenia, mateita, suurikokoisia särkiä joita meillä osattiin syödä ja säynäviä. Niinpä oli talossa paistettua muikkua, myös etikkaliemessä, savustettua siikaa, paistettua ahventa, hiillostettua särkeä. Aamukahvin kanssa, aamiaiseksi, päivälliseksi ja vielä iltateen kanssa. Kylmänä ja lämpimänä. Muuta ei syötykään. Opimme syömään kalaa kuin orava käpyä.

Ilokseni on taito siirtynyt lapsille ja lapsenlapsille. Pieni pentu, edessä kala, avoinna kuin kukkaron vetoketju! Suupielestä pursuvat ruodot kerääntyvät järjestykseen lautasen reunalle. Onko somempaa!

Isä oli kalastaja tosissaan. Vuoksellako, kotonaan Jääskessä, hän oli rakkautensa kalaan oppinut, en tiedä? Meille hän teki siitä elämänmuodon.

Isä oli kotoisin vauraasta talosta. Hänen isänsä Erik Pöysti ei kuitenkaan ollut erityisemmin kiinnostunut maataloudesta. Häntä olivat lähempänä saarnareissut, vaikkei pappi ollutkaan. Oltuaan nuoruudessaan oppilaana lähetyskoulussa hän sai saarnaluvan. Pistäytyminen Viipurissa saattoi venyä pitkäksi. Selitys tuli sähkösanomassa: MINAE OLEN NYT TAEAELLAE LONDONISSA. Merimieslähetyksen apulaisena.

Isoisän vanhimmasta pojasta tulikin lähetyssaarnaaja ja pojanpojasta melkein.

Erik Pöysti oli myös Jääsken edustajana valtiopäivillä ja jatkoi vielä yksikamarisessa eduskunnassa. Kävipä hän tsaarinkin luona Suuren lähetystön jäsenenä, sen

13

lähetystön, jolle tsaari antoi kertoa ettei hän ollut sille vihainen.

En tavannut isoisää koskaan.

Kerran maleksin Oslossa Karl-Johanilla junan lähtöä odotellen. Oli siellä sellainen merkillisen näköinen ukkeli joka hyppeli partaisena pitkässä nuhjuisessa berberissään ja heilutteli kynsisaksia, joilla leikkasi silhuetteja halukkaista. Hän hölpötti keskeytyksettä jotain, joka muistutti kaikkia kieliä samalla kertaa. Silhuetit olivat kuitenkin asiallisen näköisiä. Kun aikaa oli eikä hintakaan säikäyttänyt asetuin hänen eteensä. Sitten hän leikkasi minusta isoisän silhuetin.

Kalastamista varten oli kaksi laatokkalaista koukkunokkavenettä ja isän moottoripurjehtija. Se oli kalastajamallinen, ehkä kuusi metriä pitkä. Laitoja kiersi kapea kansi. Paarlastina toimivat raskaat koneenosat, jotka keväisin kannettiin isän kanssa paikoilleen.

Siinä tilanteessa isä oli sietämätön. Kun syntyi mielipide-eroavuuksia osien kantamisjärjestyksestä hän sanoi – ja joka ainut kevät ihan samoin sanoin: Minä olen maailman helpoin ihminen. Minun kanssani on hyvin helppo tulla toimeen. Teet vaan niin kuin minä sanon!

Pääasiassa vene liikkui yksisylinterisen Kermath-moottorinsa voimalla vaikka sen kahdessa mastossa oli neliskulmaiset kalastajaveneistä tutut purjeet. Isopurjeella oli puomi. Köli oli matala, mutta se ulottui keulasta perään, joten veneen sortuma oli pieni. Se nousi hyvin tuuleen mutta kääntyi tietenkin huonosti.

Isä piti kovasti veneestään.

Välirauhan aikana joku oli antanut sen upota ja jatkosodan aikana oli joku toinen, tällä kertaa suomalainen, nostanut sen taas pintaan. Lain mukaan hän sai pitää sen. Yritimme kiinnittää isän huomion muuanne kun se mastottomana ajoi ohitse.

Kun sitten muutimme Helsinkiin isä liittyi Merenkävijöihin ja tilasi itselleen laatokkalaisen soutuveneen.

Sen satamana oli pursiseura Särkällä Kaivopuistoa vastapäätä. Merenkävijöiden jahtien, kuutosten ja A-veneiden kipparit suhtautuivat isän alukseen samalla kunnioituksella kuin omiinsa, mistä heille olkoon kunnia ja kiitos.

Olimme rantautuneet purjehdukselta. Rupesin – enemmän kai kiusoitellakseni – mankumaan päästä yksin vesille. Tuulta oli sen verran, ehkä 10 m/s, etten kuvitellutkaan menestystä, joten saatoin veneestä käsin jatkaa pontevana esiintymistä. Purjeet lepattivat, keulaköysi nyki laiturin pollaria.

Isä irrotti sen, heitti veneeseen ja potkaisi keulan ulos.

Rantautumassa huvimatkalle Markatsimen majakalle. Veneessä isä ja äiti. Takana luotsi Arposen moottorivene.

15

Voi Eino Tauno minkä teit!

Kun alkusäikähdys jäähtyi olin Karjalan amiraali. Se päivä muistuu vieläkin takapuolessa kun oma vene kallistuu ja ottaa satsia. Ensimmäistä kertaa vastusti kaksitoistavuotiaan käsivarsi peräsimellä isopurjeen vääntöä ja silmä seurasi tarkkana kannelle nousevaa solisevaa vettä.

Osasinhan minä purjehtia. Jostakin oli taloon ilmaantunut latinalaispurje, sellainen kolmikulmainen joita näkee Niilillä. Purje sopi pieneen soutuveneeseen jonka se veti aikamoiseen vauhtiin. Siitä veneestä tuli minun liikkumavälineeni ja minähän se asioilla kävin kylässä ja naapureissa – jollei muuta niin kutsumassa Iiriksen syntymäpäville. Ne olivat Pöystien traditionaalinen koko kylän kesäjuhla. Silloin veivattiin jäätelökoneella jäätelöä ja puutarhamansikat olivat mehevimmillään.

Seilasin Hainareille Vasikkasaareen tai sitten tyttökoulun rehtorin Toini Alopaeuksen luo Vitsasaareen. Siellä vietti usein kesäänsä nuori arkkitehti Aaro Alapeuso, jonka kanssa kerran suunnittelisimme Tampereen Työväen Teatterin taloa.

Riemu lasten mielissä oli suuri kun moottorivene kerran keinahti laituriin tullessa ja rehtori Toini Alopaeus istuutui käynnissä olevan Wikströmin tulppien päälle!

Vastapäätä, manteren puolella asuivat Puputit. Heidän luonaan kävi välistä kaksi nuorta helsinkiläistä taidemaalaria, Mauno Manninen ja Tuomas v. Boehm, jotka koulutoverinsa Jorma Puputin kanssa suuntasivat sieltä polkupyöränsä kareliaanisille pyhiinvaellusmatkoille Raja-Karjalaan, Suojärvelle ja minne kaikkialle. Kymmenen vuotta myöhemmin olisimme ystävät.

Tai sitten pormestari Autiolle meitä vastapäätä, selän toiselle puolen Puputtien naapuriin. Aution Liisan kanssa hakisin viisikymmentä vuotta myöhemmin Kii-

Isä, äiti ja kiltti
poika

nasta uutta munankuoriporsliinia äidin särkyneiden
kuppien tilalle.

Ehkä purjehdin vain telakalle. Puputin ja Aution vä-
lissä oli telakka, jossa toimintaa oli niin vähän että se
vaikutti hylätyltä. Pienessä vajassa asui tonttua muistut-
tava telakkavahti läpi vuoden. Jos olisi tuonut miehet
paikalle ja pistänyt sähköt päälle, ei olisi tarvittu kuin
muutaman viikon pituinen ruosteen poishakkaaminen
ja laivat olisivat alkaneet elää taas. Oli uskomattoman

17

Veneenteko-
kurssin saalista

Isän vene kevät-
huollossa

upea tsaarinajan matkustaja-alus. Oli hinaajia ja proo-
muja. Kaikki ehjää. Ikkunoissa plyyshiverhot, joissa
silkkipompulat kantoivat hämähäkinseittejä. Kiipeilin
laivoilla, kävin pajoissa ja vajoissa. Jollei ruostetta
olisi ollut, olisi saattanut kuvitella väen olevan ruoka-
tunnilla.

Ruususen telakka!

Merkillinen paikka.

Pystyin tekemään vastakäännöksen latinalaisellani

Mökerikön kalas-
tajasatama

vauhtia menettämättä. Se ei ole ihan helppoa. Siinä
kun on oikealla hetkellä rynnättävä mastolle ja muljau-
tettava purjeen pysty puomi maston toiselle puolelle ja
sitten taas palattava kiireesti takaisin jalustamaan purje
uudelle halssille.

Yhtä paljon kuin isoilla veneillä, opin purjehdusta
leikkipurjeveneellä jonka enoni Volter minulle teki.
En ole koskaan ymmärtänyt miksi sain niin hienon
lahjan. Johtuiko se siitä että haulikko oli ollut Volterin

kädessä kun se laukesi? Oli miten oli, Volter Köhler oli minulle säröttömän kunnioituksen kohde. Ja on tänäkin päivänä.

Mutta se vene! Jos sanon etten ole koskaan nähnyt sen vertaista, saatan liioitella. Sanoille on kuitenkin vankka perusta. Runko oli mahonkia ja tehty ilmeisesti RORC:in säännön mukaan. Ainakin vesilinjan yläpuolella. Kun nyt vertaan omaa venettäni muistikuvaani, alukset ovat vesirajan yläpuolella samanlaiset. Purjeet olivat oikean muotoiset ja kunnolla mastossa kiinni ja tietysti ehdottomasti tasapainossa. Se nousi tuuleen niin kuin sen nousemaan asetti, se pystyi jopa säilyttämään vähän aikaa kurssin myötätuulessakin. Sen aallonmuodostus oli oikea. Opin käsitteet runkonopeudesta ja pohjan muodoista, vaikka en niiden nimiä tiennytkään.

Se jäi sinne hirsiseinälle tupaan, kunniapaikalleen roikkumaan.

Volterilla itsellään oli eräs Itämeren parhaista ja kauneimmista veneistä, yawl Tehani, jolla sekä hän että myöhemmin hänen poikansa Rolf keräsivät kahmalokaupalla pokaaleja Gotland Runtissa. Olin ylioppilaana mukana kiertämässä Ahvenanmaan sillä veneellä. Enkä unohda!

Volter kävi Tehanilla Oslossa. Siis hankkiuduin Huhmarillani Osloon kun tulin isoksi. Volter osallistui Gotland Runt-kilpailuun. Siis osallistuin minäkin vaikka en niin kilpapurjehduksesta perustakaan.

Kiitosrituaali.

Isän vene oli vaatimattomampi, mutta purjehtijana hän oli samaa ainesta kuin Volter.

Laatokan myrskyt ovat melkoisia. Kevyt, suolaton vesi nousee helposti korkeiksi ja jyrkiksi aalloiksi.

Kesti kauan ennen kuin äiti suostui nauramaan sille, että isä tuli kotiin Mökeriköstä äidin nimipäiville. Oli tosi myrsky ja kun purjeet ilmestyivät Vasikkasaaren takaa, juoksi nimipäiväsankari metsään ja pysyi siellä

iltaan asti. Isän vene oli lastattu puolilleen kalastajien nieriälaatikoita. Kun kalastajat eivät voineet siinä säässä moottoriveneillään yrittää Mökeriköstä mantereelle, toi isä saaliit purjeilla.

Mökerikkö! Se on tarttunut nelivuotiaan muistiin. Melkein pyöreä kalliosaari keskellä Laatokan merellistä ulappaa. Puita siellä tuskin kasvoi. Ainoat pitkänomaiset olivat kai rannikkotykistön putket. Varuskuntaa varten oli talo, rannassa joitakin kalastajien aittoja. Siinä kaikki. Mutta hämärässä vilkuttivat sadat pitkät korvaparit kanervikosta. Tykkimiehet kasvattivat kaneja tässä Pikku-Australiassa.

Meiltä lähdettiin Mökerikköön tyynenä elokuun iltana. Kalastusveneeseen, joka kulki hinauksessa, oli lastattu tuhannen koukun pitkäsiima, verkkoja, ruokaa ja vaatteita. Moottoriveneessä oli kuusi henkilöä, viisihenkinen perheemme ja Lyyli.

Höyrylaiva Otava saapuu Valamon luostarilahteen.

Lyyli Onjukka tuli perheeseen niihin aikoihin. Hän on yhä olemassa elämässäni. Nyt hän on kahdeksankymmenen mutta välistä saan vielä hänen piirakoitaan.

Lyylin piirakat suhtautuvat kaupan piirakoihin niin kuin palttina sarkahousun lahkeeseen. Kun viimeksi tapasimme, muisteli hän miten kiltti olin lapsena.

Niinhän minä olin. Tätien lapsikulta. Minusta kehittyi ajan mittaan varsinainen ovienavaaja ja takinauttaja. Vaikka myöhemmin olen yrittänyt ottaa vahingon takaisin, istuu »kiltteys» lujassa. Eikä se ole hyväksi.

Viimeksi huomasin sen kun Lear ja nimenomaan minut haukuttiin Berliinissä. Se pirun sympaattisuus loistaa läpi ja rooli kuin rooli saa tahattomasti sellaisen Schubert-sävytyksen. Urkupiste jota ei saa pois soimasta. Ei ole sattuma, että Ruotsissa olen ikuinen Muumipeikko. Ohjaajien on pakko ottaa suunnitelmissaan huomioon Pöystin pyöreä joviaalisuus.

Galileista on tehtävä humoristi. Necessitate coactus! Learista kiltti perheenisä.

Asiaa ei paranna se, että filmi-isälläni Yrjö Tuomisella oli samankaltainen rasite. Teki hän mitä tahansa puhuivat lehdet »tästä sympaattisesta näyttelijästä». Kerrotaan Hotelli Helsingin baarista, jossa näyttelijät siihen aikaan istuivat, miten joku känniläinen litteraatti haukkui pöydän yli Tuomisen taitelijapersoonan kokotarkkaan, johon tämä vastasi silmät yhtä lailla roikkuvina: mutta sympaattinen minä kuitenkin olen !

Lapsena sellainen on nättiä.

Reitti Mökerikköön alkoi Vitsasaaren salmesta. Vasemmalla vilkkui rantakoivujen välistä Hainarien iltalamppu. Nelivuotiaanakin tiesin että Hainarit olivat hyvin merkittäviä henkilöitä ja liittyivät jotenkin pyhästi Karjalaan ja karjalaisuuteen. Oikealle jäi verkonlaskupaikka Palosaari, jonka läntinen pää tulisi minulle kohta niin tärkeäksi.

Luotsi Arponen emäntineen

Haavuksen eteläkärjestä näkyi jo Laatokan ulappa.

Kuu valaisi koko kuusituntisen venematkan. Tamhangan majakka Keljosaaressa, jota naapurimme Luotsi-Arponen isännöi, jäi oikealle ja vajosi horisontin taa. Hiljalleen nousi hohtavasta vedestä Valamo vasemmalle. Tunsin sen kirkot, munkit, hiekkakäytävät, lehdot, vehmaat kanavat ja salmet. Pääkirkon torninhuippu heijasti kuuta. Valamon saaretkin vajosivat veteen ja niiden takaa nousi Hanhipaaden korkea majakka, jonka juurella isän vene oli rakennettu. Makasin punaisessa lapsenpeitossa äidin sylissä ja kuuntelin miten kone puksutti venettä pitkin kiiltävää vettä.

Luultavasti pysyin valveilla kauan, koska muistan kaiken tämän uskomattoman kauniin. Luottamus isän navigointitaitoon oli ehdoton. Lapsen kokema turvallisuus suurella mustalla vedellä jää pysyväksi.

Näreniemen huvila Haavuksessa

Joskus keskiyön jälkeen tultiin perille. Kahden tykkimiehen saapasrasvalta haisevat kädet nostivat minut

Isä ja kesäilta

laiturille. Toisen nimi oli Jehimoff ja toisen Rosti. Kun vanhemmat läksivät kalastamaan nieriää Heinäsenmaan ja Vossinoin vesille eivätkä ottaneet minua mukaan, oli minulla Jehimoff, Rosti ja muutama sata kania.

Isän luonnonrakkaus oli mahtavaa lajia. Siitä purjehdus, siitä vesillä liikkuminen jylhän kauniissa Laatokan saaristossa. Isän päivä oli pilalla jos hän oli vahingossa astunut muurahaisen päälle. Hän sieti mitä nauruja tahansa liioitellusta eläinsuojelustaan. Tosin hän oli kuuluisa kissavihastaan, ne kun metsästivät hänen rakastamiaan lintuja.

Kyläläiset kertoivat miten Pöystin kamreeri (häntä sanottiin kamreeriksi vaikkei hän sellainen ollut) juoksi yöpaitasillaan läpi kylän ase kädessä. Isä oli unessaan kuullut lintujen hätääntyneet äänet ja tavannut kissan kiipeämässä linnunpesälle.

Se pyssy

Vaikka huvilan maa-alue ei ollut suuri oli se tehokkaasti viljelty: kaksi mansikkamaata, vadelmatarha, kirsikkatarha, vihannesmaa, parikymmentä viinimarjapensasta, perunamaa ja tietenkin tomaatit, joille aamulla kannettiin yön saalis makuuhuoneista, sopivasti laimennettuna. Talvella ei ollut Rex-purkeista eikä mehuista puutetta. Ja kesällä riitti töitä. Kaikki hoidimme osamme kitkemisestä ja kastelusta. Lyyli oli mahdoton työihminen.

Hänen kotonaan heitä oli viisitoista. Ja isä ja äiti. Tänään yksitoista lapsista on elossa. Luultavasti meille tulo oli Lyylille helpotus. Ja hänen vanhemmilleen. Vihapäissäänkin Lyyli murjotti ja kutoi sukkaa – meille. Hän oli aina lähellä. Silloinkin kun minun veneestäni tappi lensi yli laidan ja minä soudin kotiin Lyylin peukalo tapinreiässä. Soutaminen ja nauraminen yhtaikaa ottaa mahaan.

Jos ei huvilalla tehty töitä niin maattiin yläkerran eteisen lattialla. Siellä oli isot pinot Allers Familje-journalenia. Niitä luettiin uudestaan ja uudestaan. Jostakin syystä ei kattoa ollut vuorattu eikä päreiden nauloja kotkattu tai katkaistu. Oli noustava varoen jos makasi katon matalimman osan kohdalla. Kaatosateessa pelkän pärekaton alla. Paljaat paarmojen puremat pohkeet pehmeää lautalattiaa vasten ja lehtiä . . . lehtiä . . .

Siellä yläkerran isossa eteisessä oli myös minun höyläpenkkini. Sen leukojen välissä syntyi enimmäkseen erilaisia laivamalleja, joita kepin nenässä vetäen muka tutkin erilaisten pohjamuotojen käyttäytymistä vedessä. Nikkaroinnin kisällityö oli kuitenkin pyssy, jossa oli sisäänrakennettu puinen liipasinkoneisto. Kuminauha todella irtosi liipasimesta vetämällä.

Yläkerran kahden makuuhuoneen katot ja seinät sen sijaan oli vuorattu pontatuilla laudoilla. Oli isän ja äidin makuuhuone ja sisareni Iriksen ja minun. Aamuaurinko leikki maalaamattoman puun pinnalla. Vinot katot hohtivat lattiasta heijastuvaa kullankeltaista valoa kun heräsin isän moottoriveneen puksutukseen. Hän lähti Sortavalaan pankkinsa kassaluukulle. Muut olivat alakerrassa.

Kimalaisten suristessa ikkunan verkkojen takana oli somaa antautua ensimmäisiin yksinäisyyden nautintoihin joista tietysti jouduin kiinni ja sain muikkuverkoilla isän perusteellisen selostuksen siitä miten tulisin sokeaksi ja pehmentäisin selkärankani, miten käteni tulisivat kosteiksi ja suuni jäisi tyhmästi auki.

Saman tien isä yritti saada minut vakuuttuneeksi siitä että poikuuden säilyttäminen hääyöhön asti on ihanuuden korkein aste – ja onnistuikin siinä hyvin pitkälle. Minähän olin kiltti.

Siitäköhan johtui, että isä asetti esikuvaksi jesuiittajärjestön perustajan.

– Ajattele Ignatius Loyolaa! Jos vain saat tahtosi vahvaksi voit tulla vaikka maailman hallitsijaksi.

Eihän se isän omakaan tahdonvoima niin hirmuinen ollut. Mutta juuri sen vuoksi kai, ille faciet!

Siinä tahdon kasvatuksessa isä kyllä onnistui heikommin. Valitettavasti.

Oppi upposi kuitenkin syvälle. Kun aikuisena kolusin Rooman kirkkoja, jäin kerran ihailemaan ylenmäärin upeata sivualttaria ja löysin siitä Loyolan nimen. Seisoin hänen hautansa edessä.

Kuin isän haamu vuosisatain takaa.

Teki mieli pakoon, mutta pysyin paikallani. Vuosikymmenet valuivat läpi aivojen aggressiivisena huonon

Haavuksen naisväkeä äitienpäiväjuhlassa. Valkeassa esiliinassa Alen Mari. Pikkutytön takana Ida Ijäs.

omantunnon tulvana. Mutta Luojalle kiitos! Loyola oli varmasti haudassa ja paljon painavaa pronssia päällä.

Joinakin aamuina antoi herätyksen toisenlainen kolkutus. Ijäkset olivat alkaneet puida ja sinne pääsi mukaan heilumaan, oikein varstalla. Se oli hauskaa. Ijäkset olivat lähin naapurimme. He olivat vuokranneet talonsa kylän kouluksi ja asuivat itse pienessä vanhassa mökissä. Oli hevonen, pari kolme lypsävää ja kananpaskaa pitkin pihaa. Kaksi lasta, Eira ja Martti. Martti oli kanssani samanikäinen, siis kesien leikkitoveri. Häneltä opin miten pajupilli tehdään, miten koiranputkesta syntyy pumppu jolla vesi lentää pitkälle, ja miten luonnon mehiläispesästä saa hunajaa. Martin kanssa juostiin kilpaa, uitiin kilpaa ja suututtiin ainakin kerran viikossa.

Tuli sitten se jouluaatto jolloin Martti lähetettiin hakemaan Alen Maria ja isä Juho lämmitti saunan. Mari tuli, ja sitten syntyi lauteilla Idan joululahja Jorma, joka

Haavuksen miehiä. Edessä oikealla Juho Ijäs, takana keskellä luotsi Arponen. Vasemmalla Ale Pulli.

Äiti ja minä Ijäksillä
pellavan kimpussa.

oli kovasti mieleen. Jorman kapaloidenvaihdon musiik-
kina soi Idan linnunpoeka, kananpoeka, kittanpoeka,
pikkunje pieruläjä . . .

Hengittäminen lämmitetyssä, pölyisessä riihessä vaa-
ti tekniikkansa. Akanat pistelivät kainalokuopissa, tuk-
kaa kutitti, mutta jyvää irtosi.

Puimiseen liittyi lapselle tärkeä sivukiinnostus.
Tiesin ettei emännällä ollut kuumassa ja pölyisessä
riihessä housuja. Se piti valppaana ja vireänä . . .

Kävin häntä tapaamassa pari vuotta sitten Jyväskylän
seudulla. Hän muisteli Haavusta.

– Ku jokkanje päivä olj haauska . . .

Ja niin oli. Hänelle oli. Silloinkin kun lehmät olivat
sairaita ja Ida tuli metsästä iso säkki selässä. Siihen hän
oli survonut talikolla pari muurahaispesää. Muurahai-
set juoksivat hänen vartalollaan ja kasvoillaan. Niistä
hän keitti muuripadassa rohtoa lehmille. Ja varmaan se
auttoi. Ei hän sitä muuten olisi tehnyt.

Martti juoksi meille ja käski katsomaan isän uutta auraa.

Concorde ei ole mitään sen rinnalla!

Kokonaan terästä!

Ja siinä oli sellainen sutjakasti taipuva siipi ja veitsi pystyssä sen edessä. Se leikkasi ja käänsi maan nurinniskoin kevyesti kuin kirjan lehden.

Eilen vielä Ijäksen Juho kynti omatekoisella puuauralla, jossa oli kaksi eripituista pystyä sormea, rautaholkit kynsinä. Oliko sen muoto paljoa muuttunut rautakauden alun jälkeen?

Olen saanut kokea kuudessa vuosikymmenessä kaksituhatta vuotta.

Muut asukkaat pikku kylässä olivatkin Arposia. Oli Luotsi-Arponen ja Ala-Arponen. Luotsi oli pitkä mustapartainen karjalainen honka. Kerran Ijäsen tuvassa pidetyissä seuroissa näin hänen lankeavan loveen. Se näytti muista olevan ihan luonnollista. Minua se

Haavuksen tyttöjä

pelotti ja vältin sen jälkeen puhumista Luotsin kanssa.

Ala-Arposen Antti oli kylän äveriäs mies. Hänen talonsa oli suurin ja hyvin hoidettu. Sieltä sai uskomattoman hyvää mustaa leipää jota hänen sisaresa Liina leipoi.

Parhaita olivat kuitenkin Ijäksen Idan piiraat, keitinpiiraat ja pyöryt. Leipomispäivinä istuimme Martin kanssa koko päivän tuvassa ja saimme joka pelliltä ensimmäiset.

Pienessä kylässämme vallitsi jatkuva talkoohenki. Sai helposti käsityksen että kaikki, niin työt kuin alukset, oli yhteistä. Luotsin Niilo rakensi meille kanootit ja naapurin isännät korjasivat meidän jäiden särkemän siltamme. Heinätöissä oli meidän väki joukolla mukana.

Lauantai-illoin keräännyttiin jollekin pellolle pelaamaan nelimaalia. Erityisen tärkeätä oli saada Antti omaan joukkueeseen. Iästään huolimatta hän vipotti kuin jänis pitkin peltoa juoksuja kotiin, naamalla voittajan vino virnistys.

Saaren kuuluisuus oli säveltäjä Jaakko Pulli, »Puuse-

Martti Ijäs

Haavuksen väkeä Antti Arposen pihalla. Vasemmalta seisten pormestari Emil Autio, tuntematon, luotsi Arposen emäntä, Signe Pöysti, tuntematon, Tilma Hainari, Liinu Arponen, Ida Hagan, Pirkko Autio, Liisa Autio, Edit Autio, Antti Arponen, luotsi Arponen. Istuen Antti Autio, Lasse Pöysti, Eino Pöysti, Pauli Arponen.

pän» luoja. Hän ilmestyi silloin tällöin isän kyydissä meille ja tuli verannalle asti. Me lapset pelkäsimme häntä, kun hän välistä oli vähän ottanut ja jatkoi isän kanssa mielellään meillä. Hän oli poikkeava henkilö ja kantoi jatkuvasti salkussaan nipuittain lehtileikkeitä itsestään ja Sibeliukselta saamiaan kirjeitä jotka levitettiin verannan pöydälle. Mutta »Puuseppää aina tarvitaan» on evergreen. Sen Pullin Jaska tiesi jo silloin.

Hämärän tullen jatkoi Jaakko kotiinsa Hautalahteen. Siellä asui naapureina Töhösiä.

Siihen aikaan pojat, sellaiset kuin minä, liittyivät partioon. Lippukunnan nimi oli Laatokan Veikot. Se toimi NMKY:n yhteydessä. Johtajamme oli Apa Taivainen. Hän antautui todella koko olemuksellaan tehtäväänsä. En voi kuvitella parempaa partionjohtajaa. Hän osasi kaiken, mutta rauhallisesti, haukkui kuin koira, oli aina hyvällä tuulella ja menossa eteen-

Naapurin isännät huvilan siltaa korjaamassa.

päin. Kontakti häneen on säilynyt, vaikka en ole lippukunnan nykyisiin kokoontumisiin voinutkaan osallistua.

Viimeisenä Karjalan kesänä pääsimme leirille. Sinne Palosaareen, jonka toiseen päähän laskimme ahvenverkot, äidin kanssa saksaksi, muiden kanssa karjalanmurteella.

Leiripaikka oli loistava. Kapea kannas joka erotti saaresta sen läntisen niemen. Teltat, tulisijat ja iltanuotio olivat etelärannalla, juhlapaikka toisella puolella. Ruoka valmistettiin itse tehdyillä tulisijoilla.

Sipulikastike tehdään niin että ensinpannuunpannaan voitajokakäristetäänruskeaksi sittensipulinpalojajotkakäristetäänruskeiksi sittenvehnäjauhojajotkakäristetääruskeiksi sittenkermamaitoataivettäjotkakäristetäänruskeiksi, maustetaan suolalla ja pippurilla.

Illalla nuotio hämärtyvässä suvessa.

Ooopoli-taipoli-taspoli-taipoli-taapoilitaa!

Tuli sitten se ilta, jona Apa kertoi lähetysaarnaaja Hudson Taylorista ja järkytti mieleni. Tarina tästä peräänantamattomasta kiinalaisten käännyttäjästä hurmasi valmiiksi uskonnollisen pojan. En millään päässyt hänestä irti. Vain sellainen elämä tuntui arvokkaalta. Siitä kasvoi haave, sitten pyrkimys ja lopulta päätös, joka mureni vasta viisi vuotta myöhemmin armeijan vaatteissa, kun olin jo monet vuodet ollut tähti ja yleisönsuosikki.

Ehkäpä juuri tuo uskonnollinen unelma auttoi minut ensimmäisten suomisenollivuosien yli. Vältin liiallisen omanarvontunnon ja säilytin iloisen rentouden. En tullut pikkuvanhaksi. Olin alistettu korkeammalle olennolle eikä oma persoona ollut tärkeä.

Kun sydän porisi lämpöä, pysyi pää kylmänä suosionaaltojen keinutuksessa.

Laatokka ja sen saaret ovat juureni. En kaipaa erityisesti Sortavalan kaupunkiin. Tahtoisin iltapäiväksi Haa-

Töhöset Haavuksen Hautalahdesta juhliin lähdössä.

Temun kanssa par-
tioleirillä Palosaa-
ressa.

vukseen, jossa olivat Näreniemen huvila ja savusauna,
Ijäksen ja Arposten talot.

Onko se unikko vielä, ovatko ne aallot, hohtavatko
ne neilikat saunan takana . . . Tuoksut . . .

En usko perhostoukkien enää keräävän rojuja suo-
jakseen. Mahtavatko iilimadot luikerrella? Voiko vettä
vielä kantaa järvestä keittiöön vai pitäisikö nyt kaivaa
kaivo? Mutta aallot ehkä notkuvat niin kuin silloin,
hermostuneina riveinä, toinen toiselta paikkaa vaa-

Teepöytä Haavuk-
sessa. Mukana
myös Siiri-täti.

tien. Veden ominaispaino ei kai sentään ole paljon muuttunut?

Haavuksessa oli koti.

Sortavala jossa asuimme ei-kesä-ajan oli pitkä intermezzo.

Kun kesällä pääsi kaupunkiin isän kyydissä, jäi pian Haavuksen kanavan jälkeen oikealle pieni Tenkasaari missä röhjöttivät repaleiset lentokoneen jäännökset. Lentäjät käyttivät sitä harjoitusmaalina. Kasinhännän vesilentoasema oli ihan naapurissa. Siellä oli kaksitasoisia Sääskiä ja Kotkia, molemmat Suomessa suunniteltuja ja valmistettuja lentokoneita. Oli myös yksitasoisia Hansa Brandenburgeja, jotka kuuluivat ilmavoimiemme varhaisimpaan kalustoon. Jos hyvin sattui, nousi joku koneista vaappuen ilmaan juuri veneemme kohdalla kuin mastoja sipaisten, pinnistäen taivaalle Lihkatsun salmen läpi. Sen kellukkeet tuntuivat alta nähtyinä aivan liian suurilta. Koneella näytti olevan kolme runkoa. Muuten kaksitaso oli kuin kaksi sudenkorentoa päällekkäin, naruilla toisissaan kiinni.

Kesällä 39 lensi Bristol Blenheim pommikone yli Autioiden ja Puputtien huviloiden. Ensi kerran näin lentokoneen jonka ääni seurasi ukkosena jossain kaukana sen jäljessä . . .

Kotkaa siirretään hangaariin Kasinhännän lentosatamassa Sortavalassa.

II

Kaupunkina ei Sortavala ollut suuri, tuskin 5 000 asukasta talvisodan syttyessä, mutta se sijaitsi hyvin kauniilla paikalla ja oli tulvillaan vehmaita puistoja. Viisas asemakaava-arkkitehti oli jakanut kaupungin bulevardeilla paloturvallisiin osiin.

Kiitos seminaarin ja Kreikkalaiskatolisen kirkkohallintokunnan se oli kulttuurikaupunkina uskomattoman vireä. Seminaarin sijaintipaikasta oli aikoinaan käyty kädenvääntöä Savonlinnan kanssa. Valtioneuvos Herman Hallonbladin lahjoittama tonttimaa ratkaisi riidan Karjalan laulumaiden hyväksi. Seminaarin merkitys silloisessa Suomessa oli verrattavissa vaikkapa Tampereen yliopiston asemaan tänä päivänä. Sen musiikinlehtorit Nils Kiljander, Mikael Nyberg, Vilho Siukonen ja Leo Härkönen loivat pienestä kaupungista musiikkikeskuksen. Mikael Nyberg oli sitä paitsi Sakari Topeliuksen tyttärenpoika ja muistutti sekä ulkonäöltään että lempeältä olemukseltaan suurta äidinisäänsä. Hänen taputuksensa päälaelle tuntui tulevan toisesta maailmasta.

Tarmokas apteekkarinrouva Greta Turkama järjesti kolmekymmenluvulla paikkakunnan omin voimin Bizet'n Carmenin esityksen. Pari vuotta myöhemmin esitettiin Verdin Aida Vakkosalmen laululavalla. Oopperan johti itse hovikapellimestari Armas Järnefelt. Sortavalan vahingoksi hän vei meiltä hyvän meijeristin, miehellä kun oli niin kaunis tenoriääni. Hänestä tuli sitten Suomalaisen Oopperan johtaja ja uuden oopperatalon tulisieluinen puuhamies Alfons Almi.

Seminaarin julkisista musiikkiesityksistä johti suora tie Sortavalan laulujuhliin joita pidettiin kymmenen vuoden välein. Kalevalan riemuvuoden laulu- ja soittojuhlat vuonna 1935 olivat osanottajien lukumäärään nähden maamme suurin ja huomattavin laulujuhlatapahtuma. Juhlille osallistui lähes 4 500 laulajaa ja soittajaa eri puolilta maata. Silloin paljastettiin Alpo Sailon Runonlaulajapatsas, Vakkosalmen lavalla esiintyivät mahtavat kuorot. Kaikki on jäänyt mieleen niin että piirtää voisin, jos käskettäisiin. Jos osaisin piirtää.

Sortavala oli lapselle hyvä paikka elää. Sen torilla myivät venäjää tai rajakarjalaa puhuvat partasuut suoraan kärryistä uskomattoman hyvää jäistä hapankaalia. Ostimme sitä usein äidin kanssa.

Kaupungin sorakatuja tasoitti höyryjyrä, jota me virheellisesti kutsuimme lokomobiiliksi, se kun kuulosti komealta. Höyryjyrä oli mökinkorkuinen, maantiellä

Sortavala vuonna 1932

Näköala Kuha-
vuorelta laululavalle
1935

Laulujuhlien yleisöä
tauolla

41

Sortavalan tori.
Taustalla Kuha-
vuori.

kulkeva vaunuton veturi, jossa oli valtavat rautaiset
pyörät, etupyöränä jykevä tela. Se oli maalattu vihreäk-
si, jotkut osat punaisiksi. Runsaat koristeviivat olivat
keltaisia. Sen murskaavan painon alla silisivät so-
raisen kadun kiharat ja tottelivat sitten kauan mahtajan
tahtoa.

Kuljettaja väänsi rautaista ohjauspyöräänsä korkealla
tienpinnan yläpuolella, parvekkeella katoksen alla.
Hän muistutti maharadjaa lemmikkinorsun selässä.
Halkopino hänen takanaan oli niin sirosti ladottu, että
se vaikutti kokonaisuuteen kuuluvalta koristeelta. Mah-
tavin oli kuitenkin höyrykoneen punainen vauhtipyö-
rä, huimapyörä, sanottiin. Se oli koneen yläosassa,
vähän sivussa, höyrypannun kupeessa näkyvällä paikal-
la ja symboloi huimaa voimaa. Kieltämättä sitä tarvit-
tiinkin, sillä suurimmat jyrät saattoivat painaa parikym-
mentä tonnia. Sellaisen vierellä kulki mielellään ison
osan iltapäivää. Liekö niin näyttävää konetta tehty myö-

hemmin, kun riemu ihmisen haltuunsa alistamista voimista on muuttunut peloksi niitä kohtaan.

Kadut olivat leveät eikä lunta ollut pakko ajaa talvella pois. Se kerättiin toista metriä korkeiksi kinoksiksi kadunvierille. Kauppojen ovien eteen lapioitiin kinokseen aukot. Kun koulussa käytiin suksilla ja latu kulki kinosten harjaa myöten, kehittyi kauppojen ovien kohdalla erityinen tekniikka, jolla tuli selvitä ladun tylystä laaksosta yhdellä taitavalla nilkkojen notkauksella. Jos ei selvinnyt, joutui kiipeämään nolosti ylös kinokselle kuin muurahainen hiekkakuopasta.

Kotimatkalla kansakoulusta jäätiin usein Rantapuiston rinteeseen laskemaan pyllysillä mäkeä. Siinä tietysti housut kastuivat, takapuoli jäähtyi ja vahinko tuli helposti.

Mutta jos Kansallispankin kulmalla rukoili Jumalaa, ettei äiti nostaisi kamalaa meteliä, se auttoi.

Poikkeuksetta!

Kauppatorin varrelta

43

Koko perhe Pullin
moottoriveneessä

Joskus oikein kokeilin mitä tapahtuu, jos hommasta
luistaa ja tulos oli ilmiselvä: äiti hurjana ja ilta pilalla.

Temu saattoi minut kouluun. Se nukkui koulun
pihalla ja osallistui välitunteihin. Niiden aikana pelat-
tiin Pim-Pimiä. Se oli vihko, jonka taitettujen sivujen
poimuihin oli piilotettu postimerkkejä. Työntämällä
oman merkkinsä sivujen väliin sai aikaan pakkovaih-
don. Kuinkahan monta arvokasta hammastusta mene-
tettiin Pim-Pimin kautta? Koulun jälkeen Temu karisti

kinoksen yltään ja sitten juostiin kotiin. Tuohon aikaan
saivat koirat olla vapaina. Ainakin Sortavalassa.

Kerran kuussa Temu karkasi. Se juoksi kymmenen
kilometriä Haavukseen ja tarkasti kaikki rakennukset.
Ruokaa ja yösijan se sai naapureilta. Jos oli se aika,
Temu auttoi Luotsin Niiloa oravanmetsästyksessä. Sit-
ten se juoksi taas kotiin.

Ensimmäiset selvät muistoni lienevät Stenfältin talos-
ta Kirkkopuiston varrelta. Isä tilasi Helylän tehtaalta
polkuauton. Se oli kovasti auton näköinen ja toimi
loistavasti. Karkasin sillä kotoa. En tosin pidemmälle
kuin Kreikkalaiskatolisen kirkkohallintokunnan talon
eteen, jossa oli asvalttia. En kuitenkaan muista sitä, että
lauloin siellä »silloin minä itkin ensi kerran kun äiti
mun matkalle laittoi . . .»

Sen sijaan muistan miten vielä nuorempana leikin
autoa häkkisänkyni päätyyn naulatulla ratilla ja katselin

Temun kanssa

jotain hauskaa, jota sisaret puuhasivat. Sänky siirtyi myöhemmin Länsi-Suomeen. Kun sen aikuisena tapasin, tarkistin ensimmäiseksi ratin naulan reiän, joten tämä ensimmäinen muistikuvani lienee tosi.

Muistan myös miten kävimme virpomassa tohtori Dahlströmiä, joka asui talon toisessa päässä.

Kun muutimme siitä talosta olin kolmevuotias.

Olli Pajarin kanssa kävelimme Seminaarinkadulla vanhempiemme jäljessä. Kuljimme käsikädessä pitkin askelin ja hyvin ylpeinä. Tiesimme että pitkät kullankeltaiset hiuksemme herättivät huomiota.

Sain pitää kutrini nelivuotiaaksi asti.

Wäinämöisenkadun sakki. »Opettaja» Veikko Ahtiala vasemmalla, Annikki oikealla.

Pian sen jälkeen Olli menehtyi kurkkumätään. Siihen aikaan tauti poimi omiansa kuin merilokki haahkanpoikia.

Minä sain kantaa kiharoitani nelivuotiaaksi asti.

Lukemaan, kirjoittamaan ja laskemaan opetti Veikko Ahtiala, joka itse oli kansakoulussa. Todistus on vielä jäljellä mutta sen vuosiluku on opettajalta unohtunut. Ehkä 1931 tai 32. Veikko asui samassa talossa, kerrosta ylempänä.

Veikolla oli hyvä polkupyörä. Iltarukouksessa pyysin Jumalalta omaa pyörää, kylläkin pientä, mutta sellaista, jossa olisi niin jumalaton keskiö että se voittaisi nopeudessa Veikon pyörän.

Veikolla oli myös sisar Annikki, jonka tapasin isona

Täti Xenia

pääministeri Kalevi Sorsan sihteerinä, kun hänen luonaan juonittelimme Tampereen Työväen Teatterin uudisrakennuksen puolesta.

Kun olin Veikolta oppinut kirjoittamaan, suunnittelin päiväkirjan pitämistä, mutta jätin ajatuksen liian myöhäsyntyisenä. Kaikki tärkeä elämässäni oli kuitenkin jo takanapäin ja jäänyt tuoreeltaan kirjaamatta.

Paras paikka Sortavalassa oli Tuhkalampi, suuri kosteikko kaupungin luoteispuolella. Siellä pesivät kuovit, siellä kurnutti miljoona sammakkoa, vesiliskot olivat pieniä krokotiileja. Ennen kaikkea sukeltajat olivat harvinaisen suuria. En ole missään nähnyt mokomia. Pelkäsin niitä, mutta jaksoin odottaa niiden pistäytymistä pinnassa, jotta näkisin miten ne pitkillä uimajaloillaan uudelleen ponnistivat itsensä pohjaan.

Vieläkö Tuhkalammessa syntynee elämää?

Saksan kielen harrastus sujui kaupungissakin. Äidillä oli ompeluseura, jossa puhuttiin vain saksaa. Oli Täti Emschen ja Täti Xenia ja Täti Elsa. Istuin lattialla leluineni ja yritin olla sen näköinen kuin en mitään ymmärtäisi.

Täti Xenialla oli raskaat venäläiset silmäluomet.

Hänen hymynsä saattoi kohdata vain salaa. Sanottiin että hän nuoruudessaan Pietarissa olisi ollut Mannerheimin kanssa, mutta juttujahan syntyy ... Oli miten oli, ihana nainen.

Ompeluseuran työn tulokset myytiin. Jouluaattona vietiin sitten kahvia, riisiä ja karamelleja vähäosaisille Puikkolaan, radan toiselle puolelle. Olin mukana kantajana.

Käytiin myös Lyylin kotona. Lyylin äiti, rouva Onjukka, on pyhä. Hän elätti suuren perheensä piiraita paistamalla. Pieni, mustiin puettu kiireinen nainen, kaksi koria käsivarsilla. Hän jaksoi uskonsa avulla, se on aivan selvää.

Olisiko riisiä ja kahvia ollut vietäväksi enemmän, jos ompeluseuran omat kahvileipäkustannukset olisi sijoitettu niihin? En tiedä. Saivatpahan muuten toimettomat rouvat joulumieltä.

Äidin ompeluseura   Ompeluseuralla oli toinenkin ylevä tarkoitus: löytää

yksinäisille vanhoille pojille puolisko. Uhrit kutsuttiin kandidaattien kanssa seuran kokouksiin kahville. Kerran onnistuttiin sataprosenttisesti. Useimmat yritykset olivat kuitenkin ympyrän neliöimisiä, sen näki jokainen jo ennakolta.

Oli myös Täti Lola. Lola Elg oli muusikko ja asui Impilahdella. Hänellä oli ikäiseni tytär Taina joka harrasti balettia. Tainan kanssa myimme lippuja Lolan kirkkokonserttiin. Palkaksi sain rusinakakun, joka oli ensimmäinen palkkioni tehdystä työstä. Tainan vei Hollywood. Ystävyys on silti säilynyt katkeamattomana.

Muuten en juuri kohdannut taidetta.

»Lintu sininen» tyttökoulun joulujuhlassa oli kuitenkin tärkeä tapaus. Tottakai näin että lintu lensi rautalankaa myöten. Vaadin kuitenkin sisaria viemään minut näyttämölle asti varmistamaan asian. Muuten en voinut uskoa lintua oikeaksi linnuksi.

Lyseon joulujuhlaan intrigoin itselleni paremman roolin näytelmän ohjaajalta, luonnontieteen lehtori Pankakoskelta. Olinhan WC:n peilin edessä harjoitellut ilmeiden tekemistä ja tiesin kapasiteettini.

Lyseo

Kaupungintalo

Kurt Wallden kävi meillä kotona. Isä ja äiti olivat kai kutsuneet hänet esiintymisen jälkeen. Silloin näin ensi kerran konserttipianistin soittavan. Nimenomaan näin. Sormien uskomaton nopeus oli ihmeellistä, mutta kaikkein vaikuttavinta oli esiintyjän hyppiminen pianotuolilla.

Ilta oli kuitenkin onnistunut, koska mestari säilyi ystävänä. Siitä lähtien on pianistien tuolitekniikka kuitenkin kiinnostanut minua melkeinpä enemmän kuin käsien asento.

Isä rakasti musiikkia. Nimenomaan mieskuorolaulu oli häntä lähellä.

Vappu Kaupungintalon portailla. Joukko tärkeitä herroja niiltä kajauttamassa. Isän suuria hetkiä.

Karjalasta pelastuivat isän laulukirjat. Nahkaan sidottuja nuottikirjoja, jotka sisältävät mieskuorolaulujen stemmat. Kansissa kultakirjaimin Eino Pöysti. Nimen erottaa vielä, vaikka kirjat ovat kuluneet monissa harjoituksissa, konserteissa ja karonkoissa.

Mukaan tulivat myös muut nuotit, niiden joukossa sidotut Czernyt, kannessa kultakirjaimin Ruth ja Iris.

51

Kukaan Einon lapsista ei kuitenkaan oppinut soittamaan kunnolla pianoa. Ei sitä hallinnut Einokaan vaikka se oli hänelle tärkeä ulospääsytie.

Muistan isän kertoneen, että hänellä oli ylioppilasvuosinaan Helsingissä ollut jonkinlaista impressaariotoimintaa. Hän kertoi siitä ohimennen. Olen löytänyt hänen papereistaan sekä Eino Rautavaaran että Oskar Merikannon 1908 allekirjoittamat kuitit Yl. Konserttikannatusyhdistykseltä nostetuista palkkioista. Toisessa lapussa on myös isän merkintä.

Olisitpa isä saanut jatkaa sillä alalla! Paljon sopivampaa elämää se olisi sinulle ollut kuin se pankin kassaluukulla eletty.

Isä ei ehkä niinkään arvostanut näyttelijäuraani, pääsyä Kansallisteatteriin ynnä muuta. Jos olisin noudattanut hänen toivomustaan ja liittynyt Ylioppilaskunnan Laulajiin olisin tehnyt hänet iloiseksi.

Hänen vaistonsa oli tavallaan oikeassa. Mieluumminhan minä musiikkia tekisin kuin tätä teatteria.

Rakkaudesta musiikkiin meillä kuunneltiin sunnuntaiaamuisin radiosta ortodoksinen messu, joka tuli tuomiokirkosta kolmen kadunkulman päästä. Siihen messuun liittyy kuitenkin toinen messuaminen, joka koski

Jumalanpalvelus Sortavalan ortodoksisessa tuomiokirkossa.

rahaa ja perheen taloutta. Meillä elettiin reilusti yli varojen. Isän kassanhoitajan palkka ei mitenkään riittänyt elintasoon, johon äiti oli tottunut ja jota hän halusi ylläpitää vaikkei työtä tehnytkään.

Kesähuvila oli hankittu äidin varoilla.

Yhteydet kaupungin eturivin perheisiin piti säilyttää. Se merkitsi päivällisiä ja seurapiirielämää. Parantaakseen talouttansa isä otti niskoilleen kaupungin verotuslautakunnan puheenjohtajan toimen, mikä tietysti rikkoi hänen välinsä kaupungin varakkaimpiin ja vaikutusvaltaisimpiin henkilöihin. Mutta nyt sai äitikin kanslistin toimen.

Kanslia oli meillä kotona. Koko verotustoimi oli sellainen Pöystien perheyritys. Usein olin mukana järjestelemässä papereita aakkosjärjestykseen, salin lattialla mahallani maaten.

Kauniilla käsialallaan hoiti äiti kirjeenvaihdon.

Mutta taloutta ei korjata tuloja suurentamalla. Siksi sunnuntaiaamukin sisälsi ortodoksiaa ja äidin itkua.

Taksoituslautakunnan kokoukset pidettiin meidän ruokapöytämme ympärillä. Isän lisäksi niihin tulivat pormestari Autio ja Poutiaisen setä, jolla oli kuorellinen kultakello. Se soitti melodian kun avasi kannen. Odotin kokouksia sen kellon vuoksi. Ja sain myös joka kokouksessa kuulla sitä.

Ruokapöydän taustana oli senkki. Sellainen piti olla. Oikein pilarien ja peilin kanssa.

Sitä on joskus ikävä. Sen ääressä luettiin ensimmäiset läksyt, sen suojassa syntyivät ensimmäiset lennokit. Asetoniliiman haju tuo yhä mieleeni – sen senkin lisäksi – »Kielon jäähyväiset». Se mahtoi tulla radiosta jonain iltana lennokkia rakentaessa.

Sitten tuli vuosi 1938. Disneyn Lumikki ilmestyi elokuvateatteriin meidän kadullemme. Juoksin suoraan kotiin, keräsin kotonaolijat yleisöksi, järjestelin vähän huonekaluja ja esitin heille versioni filmistä. Siitä tuli heti menestys. Sain tottua siihen että minut herätettiin esittämään sitä isän ja äidin vieraille. Hyvä olikin, että esitys sai kypsyä niin, että parin vuoden kuluttua se oli valmis esitettäväksi Toivo Särkälle.

Tavallaan taidetta olivat myös kaksi runokirjaa jotka kirjoitin vanhemmilleni joululahjaksi. Sota-aika kuvastui runoissa. Otsikoita: Rauha, Uusi vuosi, Lumilinna, Joulu, Äiti ja kohteliaasti myös Isä. Ajan ankeus näkyy 23.10.39 syntyneessä runossa Vapaus ja vaikkapa Taiston Viisussa, joka syntyi 2.11. samana vuonna.

Koska se on napakoin ja runojalka lipsuu siinä vähiten, tulkoon painetuksi:

> Miks näin meitä sorretahan
> purraan, lyödään, potkitahan?
> Miksi emme saisi me
> syödä omaa leipäämme?
>
> Koska ryssä tänne saa!
> Tulee tänne mankumaan!
> Saaria se tahtoo meiltä
> sekä suurta Hankonientä.
>
> Mutt' se niitä meilt' ei saa.
> Ennemmin me taistellaan.
> Kuollaan kuni urhot ennen,
> uljahina taistoon mennen.

Pääteokseksi nousi kuitenkin kuusitoistasäkeistöinen balladi Allin Surma, johon inspiroi Aarno Karimon Kumpujen yöstä – erityisesti Laukon palavan kartanon ikkunasta pitkätukkaisena roikkuvan emännän kurja kohtalo. Sen jälkeen kuului yölliseen ohjelmistoon jo kaksi numeroa.

Erityistä suosiota saavuttivat runon loppusäkeet, kun kaksitoistavuotias yöpaitainen niitä antaumuksella luki.

> Tähän loppui runo tytöstä,
> sinisilmäneidosta,
> mi katsoi puolisoansa
> rahan näkökulmasta.

Karimon kirjat luin ainakin kahteen kertaan. Samaa tekisi mieli sanoa Isosta Tietosanakirjasta.

Markus-setäkin tuli Sortavalaan suuren mustan sokeripalansa kanssa. Hänen vierailunsa oli tulisieluisen radiolaisen Toivo Rasilaisen ansiota.

Pääsin esiintymään lastentunnille Sortavalan Kaupungintalolle. Luin siellä omia runojani. Toivottavasti en kuitenkaan Allin surmaa. En muista.

Kroketinpeluut Lönnqvistien ratamon lehtien peittämällä varjoisalla pihalla. Illat Åke Lindeqvistin luona – puutalossa jossa tilaa ja korkeutta. Automatkat pitkin Karjalaa hänen eläinlääkäri-isänsä kanssa. Keväiset hiekkakadut jalkakäytävineen. Niiden reunoilla puhelinpylväät ja roikkuvat langat. Leikkeinä ruudun hyppääminen ja polttolasit. Elokuvateatteri Vasaman konehuoneesta sai nitraattifilmiä. Se paloi hyvin, ja sen savu tuoksui keväälle. Filminpala pantiin pieneen pulloon, korkki tiukasti kiinni ja sitten lasi kohti aurinkoa. Filmi kärisi ja korkki paukahti pullon suusta. Mitä lujemmin sen painoi kiinni, sitä kovempi oli paukku.

Pienillä pojilla on suojelusenkelinsä!

Syttyi talvisota. Säästöpankin suureen taloon jäi kaksi lasta, Irmeli Tirinen ja minä. Leikimme autiolla pihamaalla. Siellä seisoi yksinäinen henkilöauto. Sen sai kulkemaan akun voimalla vääntämällä nappulaa kojelaudassa. Niin kauan kuin akussa oli virtaa, sitten ei enää. Vieläkin on huono omatunto. Yleensä leikimme pommisuojan edessä, koska sinne oli yhtämittaa asiaa.

Tuli sitten helmikuun toinen ja se pommitus. Sinä pakkasyönä palokuntalaisten letkut jäätyivät ja kaupungista paloi kolmannes. Temu pakeni kaupungista kuin Thurberin koirat.

Kun palasin aamulla kotiin väestönsuojelukeskuksesta Seurahuoneen kellarissa, jossa äiti ja sisaret olivat lottina, ja näin roikkuvat kattopellit, pääsi sellainen ihan lyhyt itku.

Urheammat luokkatoverit, niin kuin Nicke Palmen, kantoivat suutariksi jääneitä palopommeja kuin klapeja käsivarrella.

Kodittomiksi jääneitä perheitä muutti meille asumaan. Meitä oli lopulta neljätoista. Siitä oli apua. Kun kaikki olivat niin väsyneitä etteivät heränneet ilmahälytyksiin, oli järjestettävä valvontavuorot. Useampi valvoja lyhensi vuorojen pituutta.

Rauhantulon jälkeen kolme vuorokautta hankkiutua pois! Mukaan ei saanut ottaa enempää kuin minkä saattoi kantaa. Isä sai verotusarkistoa varten kuorma-auton. Paperinippujen alla salakuljetimme pianon. Mukaan tuli myös isän luuttu ja pahvilaatikollinen äidin perimiä ohuita kiinalaisia porsliineja. Laatikko tuli uuteen kotiimme asti Lauttasaareen, jossa siitä sisään nostettaessa aukesi pohja.

Kun auto oli jo valmiiksi lastattu ja väki vällyissään kuorman päällä, juoksin vielä ylös asuntoon, napsautin tongeilla höyrykoneestani höyryputken poikki ja sain höyrypannun ja koneiston survottua taskuihin.

Sitten avasin Karimon kirjasta Joutselän taistelusta kertovan kuvan ja panin kirjan isän kirjoituspöydälle. Siinä kuvassa suomalainen nousee venäläisen ratsumiehen rinnalle halkaisemaan kirveellä tämän kalloa.

Juoksin autoon. Pakkasta oli parikymmentäviisi astetta. Isä oli juuri tullut sairaalasta, joten lämmin hytti kuului hänelle.

Evakkojono eteni hitaasti. Karjalaisia isäntiä ja emäntiä kieseillä tai reissä. Väsyneet lehmät riistäytyivät tienpuoleen. Ne jäätyivät hiljalleen, utareet hangessa.

Kiteellä olimme jo Suomessa. Rehtori Uuno Karttunen järjesti majoitusta. Temu tunsi hänet, naapurin, ja oli tullut hänen autossaan etukäteen. Koska meillä ei ollut tietoa tulevaisuudestamme, sai Temu jäädä Karttusten maataloon, jossa sillä oli hyvä olla ja jossa se viihtyi.

Äiti ja Iris ilmavalvontakeskuksessa Seurahuoneen kellarissa talvisodan aikana.

Suurnuotalla
jatkosodan aikana.

Kalastusneuvoja
Juho Töhönen
lohenmätiä
lypsämässä.

   Minulle tämä oli seikkailua. Olin varma siitä että
Jumala oli järjestänyt talvisodan, että minä pääsisin
Helsinkiin tienaamaan rahoja filmitähtenä voidakseni
kustantaa opinnot päteväksi lähetysaarnaajaksi.
   Toisille todellisuus näyttäytyi toisenlaisena.

Jatkosodan aikana useimmat asukkaat palasivat, Ijäk-
set, Arposet ja muut. Elettiin kuin uuden alkua. Vuo-
den levännyt Laatokka kuhisi muikkua jota kalastajat
vetivät nuotallaan yökaudet. Ympärillä oli armeija joka
osti kaiken. Päivällä laitettiin peltoja kuntoon. Ennen-

näkemätön vauraus näytti olevan tulollaan. Aleksanteri, Ale, Pulli – joka ikänsä oli soutanut verkoilleen Jauhoisiin asti ja takaisin – tilasi itselleen Wikströmin. Se jäi Sortavalan asemalle, kun taas lähdettiin länteen.

Siirtolaisaika Limingalla ei ollut yhtään hyväksi naapureille, ei ainakaan minun mielestäni.

Ijäksen emäntä oli ruvennut leipomaan enemmän rieskaa kuin piirasta. Nauroi vaan kun minä moitin. Jopa kaunis kiemurainen karjalainen viikatteenvarsikin muuttui suoraksi tikuksi, jossa törrötti kaksi kädensijaa.

Sainpa kuitenkin olla soutupoikana Ijäksien ja Alen nuottakunnassa, mistä tienasin tynnyrin suolamuikkua.

Alen venettä souti hänen vaimonsa Mari. Vaikka heidän aina siistissä tuvassaan ei ollut kuin yksi huone oli Marilla ainainen huoli sen kunnosta. Niinpä kun perät oli vedetty ja saalis kaadettu laatikoihin ja lähdetty uutta muikkuparvea etsimään, syntyi tavan takaa seuraava keskustelu heidän veneensä etu- ja takatuhdon välillä.

Ijästen lasten kanssa nuotalla

– Ale! Ale kuule! Kuule Ale! Veitää perät meijä rant-
taa, mie mään tuppaa siivvoommaa!

Ale seisoi takatuhdolla vakavana, sänkinen alaleuka
eteen työnnettynä! Hän oli komea kuin viikinki, ja
tähyili parvia vedenpinnassa.

– Haist hevovvittu! Souttuaa! Souttuaa! Tuolla sipaj-
jaa, sipajjaa . . .

Vierailla sijoillaan Helsingissä kävi Mari meillä vielä
Alen kuoltua.

Kyselimme minkälainen Alen lähtö oli ollut.

– No, Ale makas sohvala . . . Sano, pittää lähttii nuo-
tale! Mie sanoin, elä mäne, sie oot kippii. Ale sano,
pittää lähttii . . .

No, mie keitin kahvit.

Takasin ko kiännyin, siin olki toine mies.

Senko käyt itkemmää . . .

III

Pakomatka keskeytyi hetkeksi Hämeenlinnaan. Tätini oli siellä kunnalliskodin johtajattarena ja majoitti meidät muutamaksi päiväksi. Sisaret, joista Ruth oli opiskellut Helsingissä, löysivät meille asunnon Lauttasaaresta, oikein Paavo Nurmen talosta. Se antoi kolmetoistavuotiaan uudelle elämälle ylimääräistä hohtoa.

Tulimme Helsinkiin junalla huhtikuun alussa. Tallbergin pasaasin jälkeen avautui vasemmalle Aleksanterinkatu. Se oli kuin Wall Street Maapallo-kirjassa. Edessä nouseva tiiliseinä kuului Stockmannille. Siitä tiesin, että siellä saisin ajaa Suomen ainoissa rullaportaissa. Ja jossakin täällä oli Uimahalli, sekin ainoa Suomessa.

Stockmannin seinään oli – minuako varten – suurin kirjaimin kirjoitettu TAILOR!!!

Olin niin yllättynyt etten huomannut yhden kirjaimen virhettä.

Selvä merkki taivaasta!

Olin oikealla tiellä!

Lauttasaaressa, Pohjoiskaaren päässä oli huoneen ja keittiön asunto. Kadun jatkeena meri. Sinä keväänä makasin päivät kalliolla niemen nenässä ja katselin valtamerilaivoja Jätkäsaaren satamassa. Lastittomien laivojen talonkorkuiset potkurit pieksivät äkäpäissään vettä valtavalla häpeämättömällä voimalla. Sellaista olin nähnyt vain Adolf Bockin tauluissa Allersin sivuilla.

En saanut nähdä laivaa läheltä silloin, kun kuusivuotiaana olin äidin kanssa Porissa lottajuhlilla. Kävimme Mäntyluodon satamassa, jonne horisontista oli tulossa valtamerilaiva, mutta isot eivät suostuneet jäämään sitä odottamaan.

Nyt olin taas meren äärellä. Näin Lauttasaaresta käsin laivoja kaikenlaisia, hyvin maalattuja ja ruosteen juovikkaan ruskeiksi syömiä, samanlaisia kuin Bockin kuvissa.

Muuten elämä oli ankeata. Olin kai perheessä ainoa joka koki sen onnellisena. Huonekaluina olivat pakkilaatikot joissa vähiä tavaroita oli tuotu Karjalasta. Mitä auttoi se, että muutamassa laatikossa oli yksi kylki mahonkia tai pähkinäpuuta – vetolaatikoita äidin perintöhuonekaluista. Epämukavia ne olivat pelkkä huopa pehmukkeena. Nukuttiin lattialla siskonpetissä. Sukulaiset lähettivät kuppeja ja lautasia joilla päästiin alkuun. Isä sairastui uudelleen. Kenelläkään ei ollut työtä.

Istuimme piirissä kuin intiaanit ja arvioimme tulevaisuutta. Ei ollut parannusta näköpiirissä eikä rahaa kukkarossa.

Postiluukku kolahti.

Lattialle tipahti kirje. Siinä oli 5 000 markan shekki Volterilta Turusta. Samalta joka oli minulle sen purjeveneenkin tehnyt. Sillä selvittiin kuiville asti. Sisaret saivat paikan siirtolaisavun toimistoissa. Kun isä parani, hän pääsi käsittelijäksi Helsingin verotoimistoon.

Sain tutustua setääni, isän vanhimpaan veljeen, Wäinö Matti Pöystiin. Hän oli pappi. Helsingin Koelyseossa hän opetti uskontoa, filosofiaa ja latinaa. Muistoina lähetyssaarnaajanvuosista Ambomaalla riippui olohuoneen seinällä ryhmä alkuasukasaseita. Hänen poikansa Heimo oli menehtynyt umpisuolen tulehdukseen, umpisuoli kun oli ollut hänellä väärällä puolella mahaa ja mutkistanut leikkauksen. Heimon jälkeen olin ainoa miespuolinen Pöystien tässä sukuhaarassa. Se lähensi Wäino Mattia ja minua. Matkoiltaan hän lähetti minulle Märklin-laatikon ja höyrykoneen. Hän tuki myös rahallisesti meidän kolmen lapsen yliopisto-opintoja.

Wäinö Matti harrasti kirjojen sitomista. Hänellä oli laaja kirjasto, jonka teosten komeat selät olivat omien kätten jälkeä. Kirjaston sisällys oli erikoinen. Olen lukenut kaikki Tarzan-kirjat sen hyllyiltä, puolivalmiiksi sidottuina.

Wäinö Matti kirjoitti itsekin. Ainakin poikien seikkailukirjan Radiokronotoposkooppi. Sen toiminta oli sijoitettu Afrikkaan. Nuori heimopäällikön poika löytää vuoren sisältä vesiputouksen. Sen tuottamalla energialla hän rakentaa sotakoneiston, joka sinkoaa paineilmalla toimivia raketteja idässä asuvien »aivokääpiöiden» niskaan ja tuhoaa heidät. Samalla hän varmistaa oman kansansa onnellisen tulevaisuuden.

Kerrotaan että Koelyseon oppilaat saivat numeroita uskonnossa sen mukaan miten pontevasti he kirjaa myivät. Sen tuotto meni kylläkin hyväntekeväisyyteen. Miekkailukin kuului entisen lähetyssaarnaajan harrastuksiin. Säilänsä hän tilasi Toledosta. Se tuli postissa pyöreänä pakettina. Kuin nikkarin metrimitta. Vain

Wäinö Matti Pöysti hyvästelee oppilaitaan.

kahva pisti kakusta ulos. Kun kiskaisi siitä tuli esille viivasuora miekanterä.

Kevät oli kaunis. Heikinkadulla ja Bulevardilla alkoivat lehmukset vihertää. Edellisten yllä loisti iltaisin Suomen Filmiteollisuuden mutterimainen SF-merkki ja jälkimmäisten alla hohti Suomi-Filmin nimi. Sana teollisuus arvelutti. Valitsin siis ensiksi Suomi-Filmin. Päiväkirja 1 1/2 vuotta myöhemmin kertoo taustan.

22.11.41.
Nyt minä paljastan sinulle, päiväkirja, jotain sellaista, josta vain yksi ihminen, Iris, tietää kaiken, ja Irmeli Tirinen osan, jos muistaa. Se alkoi minun ollessani 10 vuotias. Ehkä aikaisemminkin, mutta se ilta oli ratkaiseva. Olin yksin kotona Sortavalassa Kanervan talossa Karjalankatu 30 ja luin läksyjäni. Rupesin siinä mietiskelemään maailman menoa ja äkkiä sain semmoisen tunteen, että minut on kutsuttu johonkin taivaalliseen tehtävään. Sain myös sellaisen selvän ajatuksen, että tänään olin näkevä Jeesuksen. Siinä mietiskellessäni tulin sellaisen kauhun valtaan etten voinut jäädä kotiin vaan juoksin ulos – ihmisten pariin. Sen jälkeen en ole mitään niin vahvaa tunnetta saanut. Sen päivän jälkeen aloin ajatella ja haaveilla tuota ja tulin siihen johtopäätökseen, että minun oli tultava lähetyssaarnaajaksi. Sitten kerran luin Akseli Gallen-Kallelan AFRIKKA-kirjan ja siinä oli kohta, jossa sanottiin neekeri-raukoista puheen ollen näin: paljon parempi olisi lähettää heille oppineita lääkäreitä kuin hurskaita lähetyssaarnaajia. – Sitä rupesin miettimään että minun on luettava itseni lääkäriksi ja papiksi. Mutta siihen tarvitsisin rahaa, mutta mistä saada sitä. Olin joskus matkinut kohtia filmeistä ja meikäläiset olivat sanoneet että tuon Lassen pitäisi olla filmissä. Rupesin sitä ajattelemaan ja päätin: kun joskus menen Helsinkiin, menen jonkun filmi-

herran puheille ja pyrin filmiin. Sitten joskus voin ehkä päästä Hollywoodiin jossa voin ansaita paremmin. Kun sitten Sortavalasta paetessa jouduimme Helsinkiin menin Suomi-Filmiin tarjoutumaan.

Soitin siis kelloa, pääsin sisään ja pyysin saada tavata elokuvaohjaajaa. Minut saatettiin ohjaaja Orvo Saarikiven huoneeseen. Selitin hänelle kohteliaasti mutta vakuuttavasti, että jos lapsitähteä tarvittiin, ei heillä missään ollut parempaa saatavana kuin minä tässä näin. En muista minkäänlaista hymyä Saarikiven kasvoilla. Hän sanoi olevansa kiitollinen tiedosta ja pyysi lähettämään valokuvan ja henkilötiedot. Juuri nyt ei kuitenkaan ollut työn alla mitään sellaista joka . . .

Olin hyvin, hyvin pettynyt.

Eihän tässä näin pitänyt käydä.

Tämähän piti olla petattu juttu.

Takana kaikkivoipa mahti!

Ja nimenomaan, kun tämä filmitähtiasia ei mitenkään ollut suunnitelmissa niin keskeinen, välietappi vain.

Menetin niin perusteellisesti itsetuntoni, etten ollenkaan käynyt tarjoutumassa toiseen yhtiöön, vilkuilin vain alta kulmain kadun yli kahdeksanteen kerrokseen, jos satuin kulkemaan Ylioppilastalon ohi.

Asia oli kuitenkin korkeemmassa kädessä. Jo kahdentenatoista kesäkuuta oli lehdissä ilmoitus jossa kysyttiin: Missä ovat Suomen Shirley Temple ja Mickey Rooney? Allekirjoittajana oli Suomen Filmiteollisuus, Heikinkatu 20. Etsittiin lapsia Suomisen perheeseen. Pyydettiin lähettämään mieluiten Polyfotolehtiö ja omakätiset henkilötiedot.

En ollutkaan unohdettu! Sopimukset ylöspäin olivat sittenkin voimassa.

Rullan sen ilmoituksen löysi ja näytti sitä sängystä minulle. Olin neuvoton. Äiti kehotti yrittämään, muut olivat vastaan.

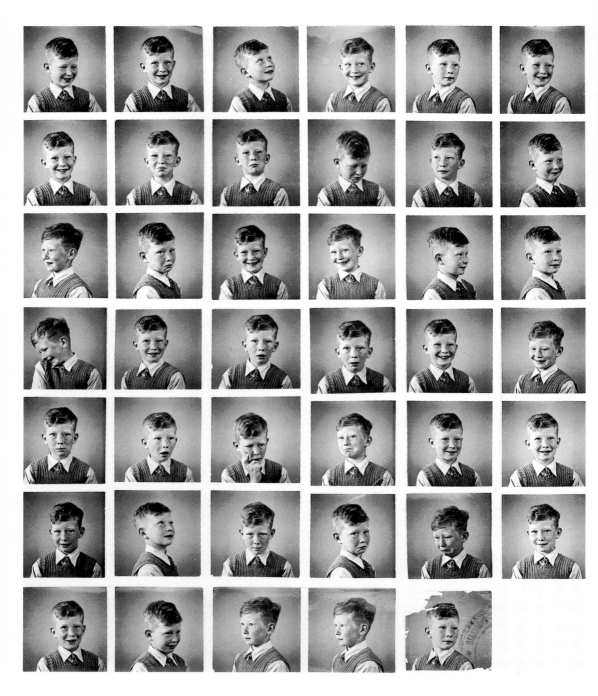

Liite hakemukseen
Suomisen Olliksi.

Kiireesti kävin Polyfotossa. Se sijaitsi siinä missä nykyisin on Akateeminen kirjakauppa. Kun kerran peilistä tiesin että minulla oli ilmeitä, tein niitä jokaiselle 48:lle ruudulle, niin että jäljelle jäi tuskin ainoatakaan luonnollista kuvaa. Ja sitten kirje postiin.

Odotusta kesti sen verran kuin olin kuvitellut. Sitten vielä lisää. Tuli heinäkuu. Siitäkin kului viikko. Hermot kiristyivät, epäilys ryömi taas mieleen.

Kävelin Heikinkatua äidin kanssa. SF loisti ärsyttävästi katon harjalla. Pyysin äitiä menemään kotiin, oikaisin raitiokiskojen poikki ja jatkoin hissillä ylös asti.

Elokuvayhtiön toimistokäytävä oli vaatimattomampi kuin olin unelmissani kuvitellut. Pari ovea, naulakko ja kassa. Suunnistin sinne ja kysyin mitä Suomisen perheen roolijaolle kuului. Oliko asia jo ratkaistu?

Ennen kuin sain vastausta, aukeni käytävän suurin ovi ja kassalle tuli isohko mies paitahihasillaan. Hänen vyönsä kiristyi uraansa kumpareen päällä. Ääntään hän käytti kainostelematta, puhe kaikui käytävässä ja kassan puolella. Oli selvää että se oli tarkoitettu kuultavaksi ja sisältö muistettavaksi.

– Tuo on tärkeä henkilö, ajattelin.

Sitten päästin karjalaiset patoni auki, varoen kuitenkaan ampumasta yli.

Mies katseli minua huvittuneena ja pyysi sitten huoneeseensa jatkamaan juttelua. Kolme minuuttia myöhemmin olin kahden Toivo Särkän kanssa ja tajusin huonekaluista, että paikka oli talon kaikkein pyhin.

Nyt, Pöysti!

– Osaisitko ehkä esittää jotain, jonkun runon tai kertomuksen, kysyi Särkkä.

Sitä olin odottanut! Hyökkäsin lupaa kysymättä nahkanojatuolien kimppuun ja työntelin ne lavastukseni vaatimiin asemiin. Mitä suuremman sekasorron saisin aikaan, sitä vahvempi olisi vaikutus.

– Tämä on kaivo.

Nojatuoli liukui ikkunan luo.

– Tässä on parveke.

Työnsin toisen vastakkaiselle puolelle.

Särkkä katseli, vaiti.

Esitin Lumikin.

Lähetin pehmeällä, notkuvalla kädenliikkeellä sinisen linnun viemään suukkoa prinssille. Juoksin huoneen poikki ottamaan kainosti suukkoa vastaan. Venytin naamani pahaksi haltijattareksi ja notkahdin pieneksi kun piti olla kääpiö. Lauloin laulut ja esitin dialogit. Kaikki tapahtui englanniksi, mutta kun en osannut kieltä vähääkään, oli esitys sellaista onomatopoeettista sävyjen ja diftongien tulvaa joka jotenkin muistutti esikuvaa. Esitys ei ollut lyhyt mutta osasin sen tässä vaiheessa jo hyvin.

Hengästyneenä jäin odottamaan vaikutusta. Särkkä kiitti vakavana ja pyysi puhelinnumeroni.

Ilmeisesti nolostelin vähän itsekin käyttäytymistäni koskapa päiväkirjassa on myöhemmin vain lyhyt maininta: Kerran sitten tapasin M:steri S:kän siellä ja hän jutteli vähän minun kanssani.

Jo samana päivänä soitettiin koekuvaukseen, joka olisi seuraavana päivänä.

Haagan studioon minut vietiin Fordilla.

Järjestäjänä toimiva ystävällinen näyttelijä ylläpiti keskustelua koko matkan. Hän esti minua hermostumasta ja huolsi minut kameran käyntiin saakka. Klaffia löi Sakari Jurkka, joka oli kesärahoja tienaamassa. Sitten kehitys, kopiointi, katselu ja rooli oli minun.

Päiväkirja jatkaa:

Kun SF sitten julisti kilpailun Suomisen Ollista pyrin siihen ja voitin. Kummallisinta asiassa on se, että tällaista olin ajatellut jo Sortavalassa, jossa sen sotatalvena Irmelille kerroin. Aika on kumminkin muuttanut ajatuksiani siten, että ne ovat seuraavanlaiset: Jatkan filmausta ja koulunkäyntiä. Jos Herra suo, menen Saksaan (jos pyytävät) filmaamaan. (Ei enää Amerikkaan. Saksasta tulee vielä maailman keskus).

IV

Suomisen perheen kuvaukset alkoivat elokuun ensimmäisenä päivänä 1940. Siitä on kulunut tasan viisi vuosikymmentä.

Vieläkin minua kutsutaan kadulla Suomisen Olliksi, vaikka yritän joka kerran tappaa sanojan siihen paikkaan kamalalla muljauksella.

Ensimmäiset kohtaukset tehtiin Särkän omalla huvilalla Marjaniemessä. Se oli kyllä vähän liian muhkea pankkivirkailija Suomisen kesämökiksi mutta tunnelmaltaan oikea, sitä paitsi kätevän matkan päässä. Minun kesäkuvani tehtiin elokuussa, sisäkuvat vuodenvaihteessa.

Näyttelijöiden kesken syntyi heti perheen tuntu. Eine Laine, Elsa Turakainen, Yrjö Tuominen, Sirkka Sipilä, Hugo Hytönen ja Maire Suvanto tulivat läheisiksi. Ilmeisesti vanhempi väki – Särkkää myöten – oli sopinut rauhallisesta taktiikasta meitä lapsia kohtaan.

Kun vuoden kuluttua aloimme esiintyä yhdessä myös radiossa, tunne syveni. Pian radioesityksiä lisättiin. Tapasimme nyt kahdesti kuukaudessa. Teatterinäyttelijöille perheemme oli ehkä vain eräs sivuhomma, meille lapsille se oli uusi elämä.

Vain kerran suutuin Särkälle. Se tapahtui sisäkuvauksissa. Kohtauksessa Olli tulee sisään, näkee pöydällä leivoksia, baislareita, ja hotkaisee niistä yhden. Tein sen niin ahneesti kuin kehtasin, mutta se ei alkuunkaan

Ensimmäisen fil-
mauspäivän ruoka-
tauko 1.8.1940
Toivo Särkän huvi-
lalla Marjaniemes-
sä. Särkkä itse
koiransa kanssa.

riittänyt Särkälle. Enemmän, enemmän! Uudestaan
uudella kermaleivoksella. Ei kelpaa. Uusi leivos ja uusi
otto. Vatkattu kerma kuvotti, mutta hyökkäsin pöydän
ja sillä olevan leivoksen kimppuun. Ei! Särkkä huusi
että mene katsomaan Mickey Rooneya niin näet miten
leivos syödään. Lopulta piina päättyi, kun söin sen
paakkelsin ällöttävästi ylinäytellen.

Niskakarvat nousevat vieläkin. Minua loukattiin tai-
teilijana. Se kohtaus oli ja on ylinäytelty. Minä tiesin pa-
remmin. Kun näen ensimmäisen Suomisen perheen
televisiossa, menen sen kohtauksen ajaksi pois. Se on
kamala.

Muutenkin liioiteltiin. Vihasin pisamia jotka maalat-
tiin nenälleni joka aamu. Omat pisamani olisivat ihan
hyvin riittäneet mutta Särkkä tahtoi niin. Huuleni
maalattiin niin punaisiksi että ne olivat kuin tytön
huulet. Yritin purra värin pois mutta sitä lisättiin sisään-
ottoihin. Ja miksi Olli puettiin yliammuttuun valko-
housuiseen merimiespukuun kun hänellä oli kotihi-
pat? Sekin raivostutti minua. Luonnottomuuksia! Mut-

ta minkäs mahdat kun olet kolmentoista ja vielä pieni-
kasvuinen – ja hyvin lapsellinen.

Niissä filmihipoissa oli Taina Elg avustamassa. Olem-
me aloittaneet filmiuramme yhdessä!

Pian kesäkuvausten jälkeen alkoi koulu. Jostakin
syystä minulle kelpasi vain yksi, Norssi. Luultavasti se
johtui Otavan Poikien Seikkailukirjoista. Jussi Lappi-
Seppälä, entinen norssi, kirjoitti niistä muutamia, ja
varmaan hänen kirjojensa sankarit olivat norsseja. Siitä

Olli Suomisen bai-
lut. Avustajina mm.
Taina Elg, Sirkka-
Liisa Angerkoski ja
Esko Elstelä.

kai kiinnostus. En edes tiennyt mikä Norssi oli, enkä mitään opettajien auskultointilaitoksesta. Sinne vaan piti päästä.

Tie nousi kuitenkin heti pystyyn. Jo ala-aulassa rehtori Heporauta kertoi että koulu oli täynnä.

– Menkää Markkasen kouluun!

Markkanen oli Viipurin kaksoisyhteislyseon rehtori. Koulu toimi Ressun tiloissa ja sinne sijoitettiin Karjalasta tulleita. Ressu oli Norssin vanha vihollinen. Sitä paitsi siihen uuteen kouluun otettiin myös tyttöjä eikä sellainen kuulunut minun kuvaani koulusta. Poikakoulussa on poikia. Sillä selvä! Ja minä tulen poikakoulusta. Ja haluan taas poikakouluun.

Allapäin astelimme kotiinpäin, äiti ja minä. Annankadulla lähetin kuitenkin äidin kotiin ja palasin takaisin. Joku neuvo oli löydettävä. Heporauta oli poissa aulasta, ei ollut ketään jolle voisi lirkutella. Kellot soivat ja oppilaat kokoontuivat luokkiin. Pian seisoin yksin

Aulangolla filmaamassa. Tähtinä Ansa Ikonen ja Turo Kartto. Kamerasta vasemmalle ohjaaja Hannu Leminen, oikealla kuvaaja Felix Forsman. Hänen edessään Arvo Kuusla, Ollin edellinen esittäjä radiossa. Refleetä vasten nojaa järjestäjä, tuleva ylikersantti Saarinen.

Norssi

aulassa. Tuli siihen sitten tri Biese, joka opetti englantia yläluokilla. Mitä halusin? Kysyin kolmatta luokkaa. Se oli nenäni edessä. Kiitin ja hiivin sinne.

Kun nimiä kysyttiin, sanoin omani ja ojensin todistuksen Sortavalan lyseosta.

Ei sellaisesta jää kiinni!

Olin tukevasti Norssissa, en tosin latinalinjalla klassisella puolella, mitä sekä isä että minä olisimme halunneet. Sortavalassa olin käynyt reaalilinjaa. En kuitenkaan uskaltanut ruveta neuvottelemaan asiasta koska pelkäsin että petos paljastuisi.

Suomisen perheen ensi-ilta oli maaliskuussa 1941. Minulla oli paikka keskimmäisessä aitiossa Bio Rexissä.

Elokuvasta tuli suuri menestys. Maire Suvanto ja minä olimme kuuluisia.

Ensimmäiset arvostelut:

Sitten Suomisen kuopukset Olli ja Pipsa, lapsinäyttelijät Lasse Pöysti ja Maire Suvanto, kas siinä vasta veikeä pari, kerrassaan riemastuttavat pienet »pyrstötähdet», jotka kainostelemattomalla ja välittömällä näyttelemisellään – tai sanoisiko pikemminkin: mukana elämisellään – valloittavat katsojan heti ensi

73

Se baislarinsyönti

hetkestä saakka. Ollin aito leivosten hotkiminen (Sic!-LP) –
*jossa ei muuten mitään näyttelemistä tarvittanekaan – ja
Pipsan pikkuvanha suorasukaisuus vetävät vertoja keiden
»rapakon takaisten» lapsidiivojen kyvyille tahansa.*

O.O. Ilta-Sanomat

*Lasse Pöysti Ollina ansaitsee aivan erikoisen kiitosmaininnan.
Hän oli todellinen ja aito pojanvesseli, joka lausuili repliikkin-
sä ihmeteltävällä valmiudella ja nasevuudella. Kameran edessä
hän oli vapautunut ja luonnollinen. Näin Ollista tulikin
elokuvan kaikkein hauskimpia ja luontevimpia suorituksia.*

Aamulehti

Toinen elokuvarooli tuli nopeasti. Tosin hyvin pieni, pari päivää vain, mutta sain tehdä työtä Aku Korhosen ja Ansa Ikosen kanssa ja tuntea itseni ammattilaiseksi, kun asuin heidän kanssaan oikein Aulangolla.

Niistä ajoista lähtien olin tunnettu kaikkialla. Suomisen perhe oli radiosta vanhastaan tuttu. Siellä Pipsaa ja Ollia olivat esittäneet Irja ja Arvo Kuusla. Uteliaisuus tuttujen hahmojen nyt »paljastunutta» ulkonäköä kohtaan oli suuri ja viikkolehdet ruokkivat sitä kuvilla ja artikkeleilla. Mutta emme enää saaneet olla Maire ja Lasse vaan Pipsa ja Olli. Hotelleissa nimeni kirjoitettiin ilman muuta Hra Suomiseksi. Sen kanssa oli opittava elämään. Olin silloin neljäntoista, Maire nuorempi.

Ihmiset alkoivat suhtautua kuin abstraktiin olentoon, joka en ollut minä. Se oli alati ympärilläni. Kuljetin sitä mukanani. Vähitellen kävi itsellenikin vaikeaksi erottaa raja.

Maire Suvanto

75

Television myötä on ihmisten suhtautuminen vuosien mittaan tullut yhä tunteettomammaksi. Joissakin maaseutukaupungeissa saattavat ihmiset kainostelematta kertoa vieressäni ääneen minusta tietämiään asioita. Kamalin oli äiti joka Tukholman laivalla, odotellessamme rantaan pääsyä, raahasi tyttönsä eteeni ja sanoi: Tossa se on, tökkää sitä nyt. Ja sitten pentu tökkäsi minua mahaan etusormellaan niin lujaa kuin jaksoi. Sitten he kiiruhtivat takaisin omiensa luo. Minulla oli laukku kummassakin kädessä, en voinut edes puolustautua.

Olen yrittänyt arvioida mitä jälkiä nuorella iällä menetetystä yksityisyydestä on jäänyt vai onko yleensä mitään. Siitä on kuitenkin vaikea päästä perille itse.

Luistinrata oli ollut Sortavalassa talvikautena tärkeä kohtauspaikka. Siellä ampui Ronkasen Pelle raketin kun oikein pyysi ja Pirhosen pojat myivät omatekoisia nekkuja. Ei kukaan silloin tiennyt että yhdestä Pirhosesta tulisi amiraali, joka vielä komentaisi Suomen laivastoa.

Nyt oli luistinradasta luovuttava. Ei ollut hauskaa. En ollut enää joku pojista vaan poikkeava esine, johon suhtauduttiin toisin kuin muihin.

Tämä vaikutti tietysti myös suhteeseen tyttöihin kun se aika koitti. Kummasta hän oikeastaan piti, minusta vai Suomisen Ollista? Luultavasti Ollille kuului suosiosta herkässäkin tapauksessa valtaosa. Jos olisin ollut kypsempi, olisin voinut härskisti käyttää suosiota hyväkseni. Tytöistä ei ollut puutetta.

Olin kovin lapsellinen ja niin sai päiväkirjani vastaanottaa sivukaupalla mitä merkillisimpiä kostruktioita sen selitykseksi, miksi olin niin arka tyttöjen suhteen.

Die unsterbliche Geliebte sai aina vain ylevämpiä piirteitä ja kohosi tavoittamattomiin.

Varmaan perussyynä oli juuri lapsellisuus, epäkypsyys ja kotikasvatus. Arkirauhan menettäminen vielä mutkisti tilannetta.

Mutta olihan päiväkirja.

3.6.41.
Tottavie tuli täyteläinen päivä. Mie ostin itellen pallon, joka makso 8 mk. Sitte mie lähin SF:ään. Kun mie tulin sinne oli siellä yx poika, (Kalevi Hartti.-LP) joka esittää Jaskaa »Suomisen Ollin tempaukessa». Hää on hurjan kiva kaveri. Yhessä myö haettii skenariot toimistosta. Mie lupasin opettaa hänelle Ruotsia kuvausten välillä ku hällä on ehot. Sikäli ku mie oon vilkassu skenariota, on se hurjan kiva. Huomenna on kai koekuvaus.

11.6.41.
On ollut harjoituksia ja levyytyksiä. (nauhoituksia – LP) Perjantaina levyytettiin »Heilu keinuni korkealle». Illalla se esitetiin ja miulta se meni vähän huonosti, ku mie nieleksin lopputavut. Eilen levyytettiin heinä- ja elokuun Suomisen Perheet. Joka levyytyksestä mie sain 100 markkaa. – Eilen mie kuulin, ettei maisteri Särkkä ja hänen ryhmänsä tulekaan filmaamaan Suomisen Ollin Tempausta, vaan Orvo Saarikivi ryhmineen. Se on eri ikävää, mutta tulenpahan tutuksi senkin ryhmän kanssa.

Filmaustyö keskeytyi kuitenkin sillä sota vei miehet. Työtä jatkettiin vasta seuraavana kesänä. Me Kalevin kanssa varoimme kasvamasta.

19.6.41.
Mie oisin tahtonu mennä jonnekin lähetiks, mutta Mamma ei antanu, vaan lähettää miut Heinolaan morbror Pellen luo. – Mut nyt mie lähen vannaa, jos tullee lämmintä vettä. Näkemiin luultavasti vasta Heinolassa. P.s. Enkä mie voikaa mennä vannaa nythän on vasta torstai!

27.6.41.

Jaa-a, nyt ois perjantai ja vannailta, mutta mie en ole
nyt kotona ja sitäpaitsi nyt on sota. Risto Ryti piti ei-
len puheen radiossa. On taas aika omituista tuntea
ainainen kuoleman läheisyys. Meillä oli täällä kau-
hea pommitus 25 päivä. Lähin pommi oli 30–40 m:n
päähän pudonnut miinapommi ja lähin sirpale 3 m
päässä talosta. Se painoi 1,2 kg. Minulla on aina iltai-
sin ollut ikävä, mutta päivisin minä kyllä olen aivan
kunnossa. Olemme pitäneet yövahtia. Jokaiselle on
tullut 2 t. Roy on saanut pentuja ja aijon ottaa yhden
niistä mukaani. Saa nähdä sitten jos se käy. Aivan
meidän lähellä on yhä 1 räjähtämätön pommi.

Äidin kanssa soti-
sovassa 1942.

Otinko silloin selvää siitä missä Temu oli, ja miten se voi? En voi millään muistaa. Perheneuvottelussa taidettiin todeta että Temu, joka oli tottunut juoksemaan vapaana, oli liian vanha kiviseen kaupunkiin ja talutushihnaan. Jos yleensä tiesimme missä koira oli. Asuimme silloin Kalevankadulla. Temun olisi parempi elää maaseudulla tuttujen ihmisten luona. Hävettää kuitenkin.

28.6.41.

Mamma soitti just ja kerto että Hanko on meillä. Punanen armeija hajotettu ja päivällähän myö kuultii Stalinin olevan vähän niinku epävarmassa asemassa. Viime yönä yö nukuttii taivasalla, mutta siellä oli niin kylmä, että me tulimme 1/2 4:ltä yöllä takaisin. Myö meinattii ens yöks mennä yhtee lattoo mutta kun tuli niin hyviä uutisia ni ei kai myö männäkkää. – Saa nyt nähä onko ryssiltä menny 5000 konetta niiku kerrotaa, ettei ne häiritse junaa. Mie meinaan nim. matkustaa huomenna.

4.11.41.

Mie en ollu joutanu koko kesässä menemään lähetiks vaikka kaikki muut pojat ovat olleet. Miun on nääs pitäny olla piikana ku kaikki muut on työssä. Viime kuun alussa mie kuiteski sanoin ettei se käy ja sain itten hommatuks yhtee paikkaa lähetiks. Mie menin Merivoimien esikuntaa 8.10. Siellä oli hurjan kivaa ja mie tulin kaveriks Helsingin asemapäällikön pojan, Matti Raatikaisen kanssa. Mamma oli samalla sotilasalueella lottatyössä.

Ammattikateus alkaa kehittyä varhain. Se lienee väistämätöntä.

13.11.41.

Mutt sitt mie tuun siihen ikävään kohtaan. Nimittäin iltapäivällä kuulu radiosta joku kappale jota

mie luulin Suomisen Perheeks mutta tarkemmin ku
mie kuulin ni se oli jottai muuta ja lehessä oli, että
se oli uus perhe. Sen nimi on »Sörkän Jokinen ja
hänen huonekuntansa.» Nyt mie pelkään että se
tullee toisen Suomisen Perheen sijalle, nimittäin
sen, joka nyt piti tulla toiseks kuussa. Saa nyt sitt
nähä. Siinä oli yks poikakii joka oli aika hyvä. Toi-
vottavasti S.P. kuitenkii on kahesti kuussa. Saa sitt
nähä.

Perheen elämä alkoi vakiintua. Isä sai vakituisen toi-
men, ja omakin ura alkoi leventyä ja muuttua tosi
työksi. Kaikesta kiitin Suurta Ystävääni.

5.12.41.
26 p:vä alkoi »Onnellisen ministerin» filmaus, Tiis-
tai-iltana mie jo kävin siellä (siis 1 1/2 viikkoa sitten)
studiossa ja autoin Hannu Lemistä lavastuksien vii-
meistelyssä. Seur. päivänä, siis keskiviikkona 26 p:nä
alkoi filmaus. Miulla oli päällä kiva piccolopuku.
Mie menin heti 3:lta koulusta päästyä Studioon.
Kun filmaus alkoi, koetin mie olla mahdollisimman
hyvä, ja kaipa mie onnistuinkin koskapa maisteri
Särkkä hankki miulle yhä lisää kohtauksia. Toivon,
että mie oisin tällä filmillä »lyöny itseni läpi» maiste-
rille. Paljon kivaa siellä oli. Mm. olivat »Harmony
Sistersit» siellä ja mie tulin heiän kanssa oikee hy-
viks tutuiks. Näyttelijöitä siellä oli Tauno Palo, Birgit
Kronström, Toppo Elonperä ja eräitä muita. Keski-
viikkona loppui filmaus klo 2 yöllä, torstaina 2:lta,
perjantaina klo 3:lta. Sunnuntaina filmasimme me
17 tuntia ja lopetimme 3:lta yöllä.

Onnellisen ministerin kuvaus oli uran kannalta merki-
tyksellinen myös siksi, että Birgit Kronström sai tietää
minun puhuvan ruotsia ja kertoi siitä Ruotsalaisessa
teatterissa.
Päiväkirja sisältää yhä enemmän mainintoja radio-

esiintymisistä ja siitä mitä niistä ansaitsin. Luontevasti replikoivista lapsista oli luultavasti ollut pulaa, ja nyt kaivettiin käyttämättä jääneet käsikirjoitukset esiin. Aloin jo päästä huomattaviin tuloihin, mistä perheen ankeassa tilassa oli apua.

Lastentunneilla kuuluin Markus-sedän vakituiseen kaartiin. Hänellä oli tapana ennen suoraa lähetystä käydä läpi esiintyjien numerot. Kontrolli ei aina ollut kuitenkaan ihan vedenpitävä. Siellä oli kerran sellainen pitkänhuiskea tyttönen, paljon tukkaa ja kinttuja, joka sanoi lukevansa Kalle Väänäsen runon »Vaarin silmälasit». Sehän kuulosti oikein sopivalta, siitä vaan. Sitten alkoi lähetys ja vuorollaan tulivat kintutkin mikrofonin eteen. Runo kertoi vaarin hevosesta, joka kieltäytyi syömästä olkia. Vaaripa iski pohjat kahdesta vihreästä pullosta ja teki niistä hevoselle silmälasit. Nyt oljet näyttivät vihreiltä heiniltä ja maistuivat erinomaisilta.

Onnellinen ministeri. Oikealla Harmony Sisters.

Ja sitten tuli Opetus: Niin se on, että jos elämä harmaalta näyttää, kohta se paremmaks muuttuu, kun sitä putelin läpi kahtoo!

20.12.41.
Pappa on ollut täällä meidän Helsingissä asuessamme, ja useinmiten, mikäli Sortavalasta muistan, useinmiten aika ärtyinen ja hermostunut. Hän eli melkeinpä (meidänkesken sanottuna) omaa elämäänsä. Sen saattoi kyllä ymmärtää, sillä Sortavalassa oli hänellä 1 000 ja 1 huolta ja Helsingissä hän teki tuntipalkallaan työtä 12 ja 1/2:kin tuntia vuorokaudessa yhtäpäätä sitäsamaa, ilman vaihtelua. Koskaan hän ei joutanut olemaan iltaisin meidän kanssamme, mutta nyt kun hän on saanut vakituisen paikan on hän saanut olla kaikki illat kotona ja käydä teatterissa ja n.e.p. Seuraukset ovat näkyneet heti. Hänestä on tullut mitä kivin isä. Minulle hän olisi heti ostanut pienoiskiväärin. Mutta kun sitä ei saanut niin hyvää kuin hän halusi, jäi se myöhempään. Mammallekin hän aikoo ostaa joululahjan, sillä hän soitti ja kysyi minulta sopivaa sellaista. Lopputulos on, että pappa johtaa kaikkien maapallon isien välistä kilpailua 250 kierroksella.

Se pienoiskivääri tuli sitten neljä päivää myöhemmin joulupaperissa, ja sai minut mahtavaan itkuun.

Jostakin syystä olin niinä aikoina enemmän kiinnostunut oopperasta kuin teatterista. Isän ja hänen kuorolaulunsa vaikutustako? Näin Suomalaisessa Oopperassa kaiken. Huopa ruokapöydälle, märkä kangas ja silitysrauta käteen ja housuihin prässit kuin miekanterät – sitten Oopperaan. Kotiuduin sinne ja kärsin orkesterin kanssa sen ahtaista tiloista. Päätin aloittaa hetimiten rahankeräyksen uuden oopperatalon rakennusrahastoon.

Auri Riskun kanssa ampumaradalla. Luokan pisin ja lyhyin.

29.01.42.
Ruotsalaisen teatterin johtaja (luultavasti) soitti, ja pyysi minua yhteen näytelmään. Hän oli käynyt katsomassa Onnellista Ministeriä ja oli huomannut minut. En tiedä vielä sen kappaleen nimeä, mutta minun osani ei kuulemma ole niinkään vähäpätöinen. Hän soittaa tänään ja puhuu Papan ja Mamman kanssa.

7.02.42.
Hää siis soitti ja sopi, että mie menisin 30 pv. sinne juttelemmaa. Mie menin hyvin pelokkaana ja vein lujasti lunta mukanan kengissä hänen hienolle

matolleen. Enhä mie jännityksessän huomannu
pyyhkii jalkojan nii perusteellisesti. No hää kokeili
minun ja sano, että kyllä hää näkkee että sen osan
voi antaa miulle ja lupas soittaa. Hää ei oo soittanu
vielä.

Mie soitin ja tiiustelin tulojan filmistä ja radiosta ku
mie pelkäsin veroa, mutta niitä oli vaan 3 750 mk.
yhteensä. Siis v. 1941. Tänä vuonna mie oon jo yksis-
tän tähän asti tienannu radiosta 575 mk. Viime
vuonna koko vuotena Radiosta 1 000 mk. Nyt jo siis
yli puolet. Filmi ja teatteri eriksee.

7.3.42.
Luon nyt aluksi pienen läpileikkauksen kaikkeen ta-
pahtuneeseen. 17 pv mie olin R.teatterin johtajan
luona sopimassa siitä isosta roolista. Mie saan siitä
palkkaa 3.000 mk. joka maksetaan esityksistä, kulta-
kin 150:– Teatteri takaa 20 esitystä. – Sitten se alkoi.
Mie sain roolin ja harjotukset alkoivat heti. Niitä on
joka arkipäivä 11–12 ja 2–3 kertaa viikossa vielä illal-

Nicken Rönngren

la. Mie osaan jo suurimman osan ulkoa. – Radiossa on ollut suht vilkasta: Suom.Perh. 20p,»Tom Sawyer»21 pv; Suom. Perhe 6/III ja »Vilkkilän pojat» 6/III. Tähän asti mie oon tienannut radiosta 900 mk. tänä vuonna.

Miun elämän on nykyää melko keljuu. Pappa ja mamma on vähä riidassa, ja kaikin puolin se tuntuu kerrassaan kuivalta. Opettajat on koulussa minnuu vähä vastaa teatterien ym. vuoks. Mie oon aina hirmu väsynyt. Kaiken lisäks Terri piti lopettaa eilen, ruokaa ei saa meillekää. Yks viikko myö ollaa oltu ilman perunaa, ja kaikin puolin tuntuu, vaikka mie teatterissa meen senku vaa etteepäin, että elämä on keljuu. Toisinaa mie äkäpäissän vilkasen pienoiskivääriiki, mutta »akka tieltä kääntyköhön». Koulussa oon mie saanu rehtorin ikäänku puolellen. Kun mie menin häneltä kysymää lupaa siihe teatterikappaleeseen ni hää hymyili ja lupas.

Taitaa kaikkeen sittenki olla pääsyynä tyytymättömyys itseän kohtaa. Mie oon laiska, tarmoton olio, joka en pysty mihinkään ja joka .... Miulla ei oo oikee kettää kaveria koulussa jne. Mutta hyi hitto!!! Ei se kirjottamalla parane. Kyllä mie vielä näytän Grrr.

Kello on 24. Paras mennä nukkumaan. Yöllä voi tulla hälyytys! Moin !!! Saas nähä tuleeko miusta isona jätkä tai mies!

1.4.42.

Nykyisin olen sitten niin ylösotettu mies ettei minulla monta tuntia vapaata ole. Aamulla 1/2 9:ltä kouluun, sieltä suoraan 11–12 harjoituksiin 12–1 vapaata. 1–4 koulua ja illalla joku joko radioharjoitus tai levyytys, kuten tänäänkin tai teatterissa.

Paul Osbornen näytelmä On Borrowed Times sai Svenska Teaternissa sentimentaalisen nimen Nog lever

farfar. Se oli herkkä ja mielikuvituksellinen, tuonpuo-
leisia käsittelevä näytelmä. Keskushenkilönä oli kolme-
toistavuotias Pud, joka rakastamansa isoisän kanssa oli
esittänyt toivomuksen, että omenavarkaat jäisivät puu-
hun kiinni. Toivomus toteutui. Kun sitten Kuolema
tuli hakemaan isoisää, narrasi poika hänet puuhun.
Kuolema yritti saada pojan vakuuttuneeksi työnsä vält-
tämättömyydestä.

Olin viidentoista mutta niin pienikasvuinen ja lap-
senomainen että osa sopi minulle ja toi hyvät arvoste-
lut. Lisäksi sain näytellä huomattavien näyttelijöiden
kanssa: Arna Högdahl, Waldemar Wohlström, Sven
Ehrström, Runar Schauman, Halvar Lindholm, Gun-
nar Wallin. He kaikki ottivat minut persoonallisen
hellyytensä piiriin.

Ohjaaja Gerda Wrede opetti minulle näyttelemisen
perustat. Hänen aakkosistaan olen ollut kiitollinen
koko elämäni ajan. Siinä sivussa hän korjasi ruotsin
kieleni. Vokaalieni leveydet noudattivat – mitenkä sen
sanoisi – itäsuomalaista mittapuuta. Ensi-illassa puhuin
jo kaunista ruotsia.

Poika ja kuolema
näytelmässä
Nog lever farfar
Svenska Teatern
1942. Sven Ehr-
ström ja Lasse
Pöysti.

Gerda Wrede vaati, että yleisön on saatava puheesta selvä. Tämä tuntuu yhä olevan vain harvoille näyttelijöille itsestäänselvyys.

Luulen että Gerda Wrede valoi minuun myös taiteellisen etiikkansa perustat. Suurenmoinen ihminen ja syvä taiteilija.

Kaksi opettajaa minulla oli. Gerda Wreden lisäksi Eine Laine, joka väsymättä käytti aikaa ja vaivaa replikoinnin opettamiseen kun hän ohjasi Suomisen perheen radioesiintymisiä. Peräänantamatonta opetusta ja huolen kantamista nuoresta taimesta. Kiitos heille! Kansallisteatterissa pääsin sitten Vilho Ilmarin käsiin.

Ja niin tuli ensimmäinen ensi-ilta teatterissa:

1.4.42.
En ollut juuri lainkaan hermostunut. Vasta noin 5 minuuttia ennen esirippua se alkoi, mutta meni pois hetken sen jälkeen kun se oli auennut. Katsomossa istui koko perhe, Astrid ja Rytkölät mm (Täti Elsa, kummitäti. LP) Minun näyttelemiseni meni silloin niin hyvin, etten koskaan esityksissä sellaiseen pystynyt. Kerran kuulin kesken esityksen katsomosta kuiskauksen:» O va han är söt!» Kun sitten esitys oli loppu sain kukkia sylin täyteen. Ohjaajalta, Gerda Wredeltä sain puketin, jossa kukkien sijasta oli 30 tikkukaramellia. Kun sitten menimme pukeutumaan tulivat kaikki onnittelemaan. Ne halasivat ja kraamasivat ja onnittelivat niin ettei tahtonut loppua tulla. Sitten pukeuduin ja menin ottamaan maskia pois Waldemar Wohlströmin pukeutumishuoneeseen. Siellä oli myös Gunnar Wallin, joka rupesi kyselemään minun tulevaisuuden suunnitelmistani. Hän luuli varmasti, että aijoin näyttelijäksi. Sanoin ettei sitä vielä tiedä, niin hän vastasi että »no kyllä sen jo näkee mihin veri vetää». Wohlström sanoi silloin että: »Jos minä saan sanoa, niin minä sanon, että älä tule näyttelijäksi», ja en kyllä rupea-

kaan, kun nyt olen nähnyt taiteilijaelämää läheltä. Muuten muistan nyt, että meidät huudettiin tai oikeammin taputettiin sisään esityksen jälkeen 5–7 kertaa ensi-illassa.

Olin koko teatterin (vaikka sen itse sanon) keskeisin henkilö, sen olen kuullut muiltakin, mutta älä luule, päiväkirja että olen siitä ylpeä. Ehei ! En aijo jäädä enkä tulla näyttelijäksi. Elämäni kurssin määräystä odotan yhä – syntisenä ylhäältä.

Näytöksen jälkeen menin ravintola Royaliin, jossa Rytkölät, Astrid ja meikäläiset + Pentti Tuormaa olivat. Kun astuin saliin kukkineni, lahjoineni, huomasin, että monet rupesivat katsomaan minua, tönivät toisiaan ja rykivät. Äkkiä joku rupesi taputtamaan ja muut yhtyivät. Sanon sen sinulle, päiväkirja, että ailahti sisässä kummasti, kun yhden Helsingin hienoimman ja edustavimman ravintolan väki rupesi »applodeeraamaan» minulle. En ollut siitä ensin varma, mutta varmuuden vuoksi koetin saada suustani hymyä, josta kai tuli heikko irvistys ja kumarsin hieman ja istuuduin vähän nopeasti. Sitten tietysti söimme ja joimme y.m.

———

Kuulin muuten myöhemmmin, että kun minä tulin sisään, istui Royalissa myös Teatterin kaikkivaltias johtaja Nicken Rönngren. Kun hän kuuli yleisön taputtavan, luuli hän, että se oli Alice »Babs» Nilsson, joka astui sisään. Hän kurkottautui katsomaan ja näki, että se olikin hänen armosta ottamansa, ruotsia huonosti puhuva »Pöisti».

Arvostelut olivat loistavat.

. . . och för gossens roll hade teatern förvärvat en pojke, Lasse Pöysti, som var det verkliga fyndet med stort F. Hela föreställningen igenom satt man lika road som uppfylld av förundran inför den naturlighet och ledighet, som denna pilt utvecklade på scenen. Och hur friskt och bra han sade sina repliker! – E.St. Hufvudstadsbladet.

... och teatern hade haft turen att kunna besätta Puds krävande roll med ett verkligt fynd. Lilla finurliga Lasse Pöysti utvecklade en omedelbas spelglädje och medfödd scenvana, som först slog publiken med häpnad och sedan helt erövrade auditoriet. – Argus

Siinä Pudin osassa tapahtui ensimmäinen munauskin näyttämöllä. Ja perusteellinen.

Pud tuli portaita alas laulaen ilkeästä tädistään: moster Demetria är en pissmyra, moster Demetria är en pissmyra ... Jatkaen laulamista kuljin yli etunäyttämön, nyt leikkien junaa, jonka mäntä teki työnsä aina tavulla piss. Se vain oli paha, että minulta pääsi jokaisella männän nykäyksellä pieni mutta kaikuva pieru. Niitä riitti sarjana yli koko näyttämön.

Tämä ei ole pahaa unta. Olen tavannut henkilön, joka kutsuilla ryntäsi yli lattian: Hei, Lasse, minä olen kuullut sinun piereskelevän Svenska teaternin näyttämöllä!

No, yleensä sitä falskaa yläpäässään.

Pienistä painevuodoista huolimatta Pud oli menestys ja toi lisää työtä, myös teatterissa. Radio tarjosi hommia kiihtyvällä vauhdilla. Vuoden 1942 kalenteristani näen, että tammikuusta toukokuuhun olin mukana kaikkiaan kahdessakymmenessä radioesityksessä. Ne vaativat kaikki joukon harjoituksia ja nauhoituksia.

Syksyllä tahti yhä kiihtyi. Lukujärjestys koulussa paisui. Päätin ainakin osittain saada klassikon leiman ja siirryin semiklassiselle linjalle, jossa luettiin latinaa tunti päivässä. Se vaati työtä. Opettajana oli itse Konrad Westergren, Pamppu. Hänellä oli vain kahdenlaisia numeroita: kahdeksikkoja ja nelosia, joten riskiä ei kannattanut ottaa.

Teatteri tarjosi kahta roolia lisää. Ensimmäinen oli lähettipoika Herbert Greveniuksen komediassa »Som folk är mest» ja toinen Macduffin poika Macbethissa. Lähetti ei ollut mikään pieni osa, sitä paitsi se oli hauska.

Otteita arvosteluista:

Roligaste man på plan är förvisso Lasse Pöysti som finurlig kontorspojke. Ett särskilt hedersomnämnande förtjänar teaterns yngsta skådespelare Lasse Pöysti

Ensimmäinen Shakespeare-roolini oli vain yhden kohtauksen mittainen, mutta kohtaus on täyttä runoutta. Ylistävä maininta Hufvudstadsbladetissa.

Lokakuussa olin kahden viikon aikana mukana kolmessatoista esityksessä tai kenraaliharjoituksessa. Lisäksi kävin kuusi kertaa radiossa, kerran filmaamassa ja parina päivänä koulun ruokatunnilla harjoittelemassa teatterissa.

Som folk är mest, Svenska Teatern 1942. Dorle v. Wendt ja Lasse Pöysti.

V

Paria kuukautta vailla kuudentoista. Mahdollisesta elämänurasta pää reilusti auki. Elämän muut ongelmat alkavat kuitenkin sirkuksensa pään ympärillä.

15.11.42.
Kuules nyt päiväkirja. Minä olen kertonut sinulle yhtenä jatkuvana kertomuksena elämäni vaiheita mutta nyt en aio jatkaa tuota tarinaa. Minulla on sinulle muuta, tärkeämpää sanottavaa. – Minä olen kai tulossa siihen n.k. murrosikään. Ehkä olen sinulle asiasta jotain aikaisemminkin puhunut, mutta koetan nyt tehdä jonkinlaisen kokonaisuuden tästä asiasta. Siis! – Minä olen jo n. 10 vuotiaasta lähtien luullut tietäväni kaiken sukupuolikysymyksestä. Tiesinkin melko paljon, mutta olen tullut huomaamaan, etten olekaan ollut asiassa niin paljon sisällä kuin luulin. Ensimmäinen kolahdus tuli kun tapasin Kalevi Hartin joka näyttelee Jaskaa S.O.Tempauksessa. Hän alkoi puhella siitä ja meidän välillämme syntyi useita ja ankaria riitoja siitä asiasta. Minä väitin, etten koskaan tulisi edes suutelemaan ketään tyttöä, ennenkuin olen häntä kosinut ja saanut myöntävän vastauksen. Hänhän laskee suudelleensa n.1500 kertaa tyttöjä. Kysyin jos hän tekisi muutakin niin hän vastasi että jos tyttö tekee aloitteen niin miks'ei. Vastasin etten tulisi koskaan

tekemään sellaista, luonnollisesti vasta kun olen nai-
misissa. Sanoin, etten koskaan tulisi seurustelemaan
sellaisen tytön kanssa, jota en täysin kunnioittaisi.
Hän vain sanoi olleensa täysin samaa mieltä aikai-
semmin mutta muuttuneensa sitten. Kysyin millaista
hänen seuransa oli ja sain tietää että melkein jokai-
nen poika, jonka hän tunsi oli joutunut koulusta
poisfokatuksi.

———

Tulin juuri katsomasta teatterista erästä kappaletta,
jossa eräs mies, jolla oli aivan samat ajatukset kuin
minullakin, lankesi lopulta. Olen saanut ympärilläni
nähdä niin monta esimerkkiä siihen suuntaan että
olen tullut kerrassaan epäileväksi. Mutta nyt, tätä
kirjoittaessani olen tullut taas siihen päätökseen että
koetan pysyä täysin puhtaana. Auttakoon minua
siihen Hän, joka voi kaiken tehdä. Auttakoon hän
minua voittamaan Pirun joka minussa mellastaa. On
hauskaa kun minulla on sinut, päiväkirja jolle voin
asiasta puhua. Ennen saatoin puhua ainakin Iriksel-
le, mutta nyt en oikein luota häneenkään. Hän on
niin muuttunut senjälkeen kun hän oli kesällä yksin
kaupungissa.

Suomisen Ollin tempaus filmattiin pääasiassa kesällä
1942. Elokuvassa oli paljon ulkokuvia ja ryhmä matkus-
ti pidemmäksi aikaa Nurmijärvelle, Lepsämään. Se oli
minulle ensimmäinen kesäinen filmausleiri. Niitä olisi
sitten jokseenkin joka kesä.
    Asuimme nuorisoseuratalon juhlasalissa armeijan
sängyissä. Yhteisasumiseen liittyy mahdollisuuksia ilon-
pitoon toisten kustannuksella. Vittorio Mantovanille,
italialaiselle kuvaajalle, teimme pussipetin. Ja seuraava-
na yönä lentopetin. Hän oli ihan tosissaan vihainen.
Hauskaa oli, vähän liikaakin.
    Päiväkirjasta saattaa ymmärtää, että välit ohjaaja Or-
vo Saarikiven kanssa kiristyivät vähäksi aikaa.

Suomisen Ollin
Tempaus. Lasse
Pöysti ja Kalevi
Hartti.

Viikkojen mittaiset kesäiset filmausmatkat milloin Karjalan koskille tai Savon metsiin eivät tulisi aina niin ongelmattomia olemaan. En kuitenkaan haluaisi olla niitä paitsi!

Kalevi Hartti oli sellainen jännittävä vähän isompi veli. Hän harrasti kilpapyöräilyä ja oli ennen kaikkea loistava jazzpianisti. Hänen lahjansa olivat aivan ilmeiset. Hänen musisointinsa tapahtui vaivattomasti ja nautinnollisesti.

Ja: hän kävi yhteiskoulua. Tai sanoisiko: hän ei tullut poikakoulusta!

Käsikirjoituksen mukaan Ollin tuli saada polkupyörä, mutta uusista pyöristä oli pula. Helsinkiin myönnettiin sinä vuonna 20 lisenssiä (!) pyörän ostoon. Niitä sai poliisimestarilta. Polkupyörät olivat niin arvokkaita että niillä piti olla rekisterinumero.

Mutta elokuvalla on oma lakikirjansa. Järjestäjä Veikko Linna järjesti lisenssin pois joltakin onnettomalta ja sillä hankittiin Ollille tämä tarpeellinen rekvisiitta.

Onnea valui enemmänkin ylleni: palkkioksi elokuvasta sain pikkuisen rahaa – ja sen pyörän. Sekä

Särkkä että minä katsoimme kumpikin tehneemme hyvät kaupat.

Suomisen Ollin tempauksen ensi-ilta oli marraskuussa. Kansiossa on vain yksi arvostelu ja saatan hyvin kuvitella, miksi. Näin siinä sanotaan:

Lasse Pöysti, Ollin osan esittäjä, on jo »lyönyt itsensä läpi» ja tälläkin kertaa saavuttaa hän voittoja. Toisin paikoin Maire Suvannon Pipsa melkein tavoittelee pääosaa ja selviytyy hänkin oivallisesti. Myöskin Kalevi Hartti Ollin toverina näyttää olevan lupaava alku.

En yhtään hämmästyisi, vaikka tuo lause Maire Suvannosta olisi ottanut päähän niin lujasti, että kiinnostus enempiä arvostelijoiden kömmähdyksiä kohtaan loppui siihen.

Sinä talvena alkoivat esiintymismatkat. Marian ilmestyspäivänä oli Tampereen Yrityksellä nuortenjuhla Työväentalon konserttisalissa, Konsussa. Pipsa ja Olli olivat suosiossa. Siis tilattiin Seere Salmiselta, Serpiltä, dialogi meitä varten. Serp ja Elsa Soini muodostivat yhdessä Tuttu Pariston, Suomisen Perheen kirjailijanimimerkin. Teksti sisälsi sellaista lasten kinastelua tuttuun tyyliin, mutta se oli hauska ja todentuntuinen niin kuin Serpin tekstit olivat. Dialogin ohjasi Eine Laine, joten siitä tuli oikein hyvä esitys.

Ja niin matkustettiin Tampereelle. Helsingin asemalla tapaisimme saattajamme, jonka piti olla joku sihteeri TUL:ssä. Hänen nimensä oli Väinö Leskinen. Sillä matkalla ystävystyimme. Katselin häntä junassa. Panin merkille että hän lueskeli koko matkan ajan työväenkirjallisuutta. Se oli ensimmäinen kokemukseni työväenliikkeestä. En ollut törmännyt siihen aikaisemmin ja se herätti minussa, luita myöten pikkuporvarispojassa, jonkinlaisen raikkaan pelontunteen.

Esitys meni hyvin. Menestys synnytti ajatuksen jatkosta. Sen jälkeen matkustimme viikonloppuisin ympäri Suomea esiintymässä TUL:n seurojen tilaisuuksissa.

Serp kirjoitti meille toisenkin dialogin. Maire lausui myös runoja, ja minä rakensin itselleni laajahkon ohjelmiston laajentamalla kuulemiani tarinoita ja vitsejä esityskelpoisiksi jutuiksi. Päänumerona oli dialogi kirppuni Maxin kanssa. Se meni hyvin yleisöön.

Suuri määrä esiintymisnumeroita olikin tarpeen. Kajaaniin lähtiessä oli Maire sairastunut ja jouduin pulman eteen kun ilmeni, että kaupungissa oli mainostet-

Suomisen Olli
täydessä maskissa
pyörän selässä.

tu varsinaisen esityksen lisäksi myös lastenjuhlaa. Suuri elokuvateatteri oli pullollaan pentuja jotka piti viihdyttää. Paikkakunnalta ei tilaisuuteen ollut varattu ainuttakaan numeroa. Ilmeisesti maineemme oli jo niin vahva, että meidän uskottiin pystyvän mihin vain ilman varoitusta. Pidin puolentoistatunnin lastenohjelman yksin.

Emme matkustaneet kahden. Mukana oli taiteilija Jonne Kykkänen, joka esitti huumoria. Hän muistutti ulkonäöltään Perävaunua ja oli aina ehdottoman korrektisti puettu. Kerrassaan loistavaa matkaseuraa, Jonne. Viihdyimme ongelmattomasti yhdessä. Hänen hiljainen ja rauhallinen huumorinsa ja tilannetajunsa teki matkoista elämyksiä.

Usein sattui – varsinkin maaseutupaikoissa – ettei paikkakunnalta ollut juhlaan esiintyjiä. Saimme kuitenkin jonkun ylipuhuttua pitämään »terveyspuheen». Ehkäpä joku viulunsoittoa opiskeleva tyttölapsi esitti alkusoiton. Niiden jälkeen vuorottelimmekin me kolme, Maire, Jonne ja minä.

Kolmen vuoden aikana kävimme varmaan jokaisessa Suomen kaupungissa ja vähän isommassa kirkonkylässä. Matkoja saattoi olla pari kuukaudessa. Lauantai-iltana yöjunaan ja maanantai-aamuna junasta kouluun.

Usein kuului matkaseuraan myös Helsingin Tarmon tyttöjen tanssiryhmä, joka suoritti osan ohjelmasta.

Matkustaminen oli niihin aikoihin harmaata mutta värikästä. Liikuimme junilla. Rintamalta tulevien tai sinne menevien sotilaiden kanssa. Nukkumapaikan löytäminen vaati kekseliäisyyttä ja yhteistyötä. Vaunuissa oli matkatavaroita varten verkkohyllyt. Jos oli pienikasvuinen pystyi niissäkin nukkumaan.

Matkaravinnon valitseminen vaati asiantuntemusta. Paljon matkustava oppi tietämään parhaat herkkupaikat. Niiden lähestyessä syntyi vaunujen oville vesisuisista tungos. Kun juna sitten jarrutti, hypättiin laiturille ja

Jonne Kykkänen,
Pipsa ja Helsingin
Tarmon tytöt.

juostiin kilpaa tiskien ääreen. Ensimmäinen keidas oli
Hyvinkään Ahjon ravintola joka tosin oli vähän radasta
sivussa. Siellä sai mustan leivän sijasta grahamia. Sen
päällä oli perunamuusia ja suolakurkun viipaleita.

Vielä kuuluisampi oli Kouvola, jossa perunamuusin
päällä oli mahdottoman hyviä anjoviksia. Siellä kilpa-
juoksu oli kovaa ja jonot kasvoivat pitkiksi. Juna seisoi
kuitenkin asemalla pitkään, joten jonotus palkittiin.

Juhlien järjestäjät keksivät huvituksia meille helsinki-
läisille vieraille. Olen jopa saanut ohjata täyspitkän kos-
kiveneen läpi Oulujoen Pyhäkosken, silloin kun se
vielä möykkysi vapaana. Ensimmäiset betonimöykyt
rannoilla ennustivat tulevaa sähköistä hiljaiseloa.

– Noin sitä Pyhhää kahalithan, sanoi veneen kuljet-
taja joka oli luovuttanut perämelansa minulle.

Reissussa rähjääntyy mutta rikastuu myös. Suomi tuli
tutuksi kouriintuntuvalla tavalla. Oli sota-aika. Milloin-

kaan ei tiennyt miten hälytykset, pommitukset ja muut sääntöön kuuluvat poikkeukset vaikeuttaisivat suunnitelmia. Oppi improvisoimaan.

18.12.44.
Jouduin matkustamaan Helsingistä Jyväskylään yhteensä 21.5 tuntia. Junat myöhästyivät tavattomasti ja Pieksämäeltä J:ään tulimme hra. Kykkäsen kanssa 6 tuntia tavarajunassa. Kerkesimme nipin napin juhliin. Mutta samoin ei käynyt Pipsalle. Hän lähti Hesasta lauantai-iltana suunnilleen samaan aikaan kuin mekin, ja oli perillä noin kahden aikaan illalla. Juhlat, joissa hänen piti esiintyä, olivat päivällä. Minä sain sitten sepustaa kokoon jonkunlaisen numeron meidän yhteisen numeromme sijaan. Klo. kymmenen aikaan me matkustimme Hesaan päin ja olemme nyt odottaneet junaa Haapamäellä klo 02–07:ään. No, mikäs siinä. Kouluun en vain enää kerkiä. Näihin aikoihin sen junan piti tulla.

Yölliset junien odottamiset tyhjillä sumuisilla risteysasemilla: Toijala, Matkaselkä, Riihimäki. Opin ajamaan sähkökäyttöisillä matkatavararattailla. Niiden kahvoissa saattoi kulua tunti, pari. Akut olivat paljon suuremmat kuin siinä autoparassa siellä Sortavalan pihalla.

Asemilla nuokkui väsyneitä vetureita, kaikenlaisia. Joku päästi odottamatta syvältä tulevan huokauksen ja jatkoi tuijotusta, kuin vanha hevonen.

Minusta tuli veturihullu.

Rupesin mankumaan veturien kyytiin ja, suosiossa kun olin, pääsin melkein aina. Tavallisesti minulle osoitettiin paikka veturin ja tenderin rajalla. Sieltä katselin kahden miehen yhteistyötä. Ympärillä pelkkää mustaa konetta. Höyryvetureissa oli lämmittäjällä töitä. Polkaisemalla nastaa lattiassa paukahti helvetti höyrypannun alla auki ja hikisen miehen rukkaskäsi heitti metrin halkoja lieskoihin. Luukku pamahti kiinni. Halko jäi selvittämään välejään liekkien kanssa ja veturi kolisteli kylläisenä kiskojensa välissä.

Kerran oli käydä huonosti. Oli keskitalvi. Juna oli lähtenyt Joensuusta kohti Helsinkiä. Katselin makuuvaunun käytävän ikkunasta ohiviliseviä lumisia maisemia, kun pysähdyttiin pienelle asemalle.

Nyt veturiin! Pomppa hartioille, huopahattu päähän. Juoksin veturin vierelle.

Tyly kielto.

Samassa kuljettaja vetäisi höyrypillin hanasta ja päästi paineen silintereihin. Juna lähti liikkeelle nopeasti. Tajusin etten voinut odottaa oman vaununi tulemista kohdalle. Oli hypättävä ensimmäiseen vaunuun ja pyrittävä sisätietä takaisin omaan osastoon. Kompastuin ja kastelin lumessa paljaat käteni. Hansikkaat olivat vaunussa. Pääsin vaunun portaille, mutta ovi oli lukossa.

Pakkasta ehkä 12 astetta. Jalassa pienet sisäkengät, ei pitkiä alushousuja, ei hansikkaita, päässä ohut huopahattu. Vaunu oli veturista seuraava, ja silinteristä nouseva höyry jäätyi pompalle. Mietin että jos tämä juna menee pysähtymättä Pieksämäelle asti, minun käy huonosti. Huutaminen veturimiehille ei siinä kolinassa kannattanut. Vedin hatun silmille niin alas kuin sain, kiersin käsivarren kaiteen ympärille, kun en uskaltanut märillä käsillä tarttua siihen, ja sitten kädet syvälle pompan taskuihin. Jos jäädyn, en ainakaan putoa!

Yö oli pakkasen kaunis. Tähdet pistelivät taivaalla, lumiset kuuset juoksivat kuutamossa. Veturin punaiset kipinät värittivät muuten kylmänsinistä kuvaa.

No, juna pysähtyi ehkä viidentoista minuutin ajon jälkeen. Konduktöörivaunun rautakaminan ääressä sain jäsenet sulamaan.

Rupesin liikkumaan esiintymismatkoilla yksin, omilla keikoilla. Muutaman kerran Väinö Sola lauloi samassa tilaisuudessa. Yhdessäolo hotelleissa, junissa, ruokailuissa teki meistä ystäviä, niin sen tunsin. Sola ei varmaan ollut niitä, jotka ensin syntyvät ja sitten kehittyvät taiteilijaksi, ei, hän oli suuri taiteilija jo syntyessään. Hänen auransa hohti. Hänen kunnioituksensa omaa ammattiaan kohtaan, ja se arvonanto, jota hänen olemuksensa herätti ympärillä synnytti turvallisuuden tunteen nuoressa aloittelijassa. Kuin olisi kävellyt tiikerin kanssa viidakon läpi.

Munasin tosin itseni päivällisillä Serlachiusten kotona Mäntässä.

Kun en ollut ennen tavannut salaattia pikkulautasella, sillä lailla vinosti ison lautasen vieressä. Kaikki olivat jo syöneet kun huomasin salaatin. Yritin nopeasti saada sen survotuksi suuhun, meillä kun ei kotona saanut jättää lautaselle. Ja tarjoilijat odottivat ja kaikki! Mutta Sola, illallisten aihe ja päävieras, ei ollut moksiskaan. Tuskin muutkaan kuin minä.

VI

Teatterista, elokuvista, radiosta ja matkoista huolimatta koulu oli kuitenkin keskipiste.

Poikkeukselliset olot vaikuttivat koulunkäyntiin ja sen sisältöön. Yhteiset tilaisuudet piti lopettaa hyvissä ajoin ennen iltayhdeksää, jotta kaikki ehtisivät ajoissa kotiin. Julkisia kulkuvälineitäkin oli niukasti ja liikkuminen puolipimennetyssä kaupungissa oli vaikeata. Tanssiminen julkisissa huvitilaisuuksissa oli sodan aikana kielletty. Sitä innokkaammin tanssittiin kotihipoissa. Koulujuhlissa sai kyllä karkeloida mutta vain piirileikkiä. Kun huvitukset paljolti olivat kielletyt – ainakin julkisesti – kehittyi koulussa into harrastuksiin. Laimeaksi jäänyt koulujen kerhotoiminta vilkastui sodan aikana.

Muukin toiminta. Juhani Hausmann, joka istui luokassa takanani, lähetti olkani yli kaikenlaisia siivottomia piirustuksia, jotka vakavasti piristivät koulunkäyntiä.

Pahin piirtelijä oli kuitenkin Kauko Kuosma, varsinainen veturihullu. Hän osasi maailman kaikkien tärkeimpien vetureiden detaljit ulkoa. Niitä vetureita hän sitten piirteli tuntien aikana. Aluksi opettajat yrittivät panna vastaan mutta joutuivat antamaan periksi. Luultavasti opettajahuoneessa oli sovittu siitä, että Kuosmalla on tämä erivapaus. Kuvat olivat uskomattoman taitavasti piirrettyjä – ehkäpä ne piristivät opettamistakin?

Kauko oli myös lennokinrakennuksen ehdoton mestari. Hän teki pyrstöttömän ja rungottoman liidokin. Noin puolihuolimattomasti. Pelkkä siipi vain. Hullu mies! Sitten mentiin yläkerran käytävään. Kauko tyrkkäsi tekelettä sormenpäillään. Se laskeutui käytävän toisessa päässä rehtorinkanslian oven edessä.

Konventti oli tietenkin harrastuksista tärkein. Siihen liittyi Norssissa joukko traditioita, joita pidettiin yllä. Oli Nahkakonventti, jossa uudet oppilaat otettiin mukaan, oli kiertopalkinto keksijöille, Viisauden Sarvi, ja sitten tietysti vedenjuontikilpailu. Eräskin sankari voitti sen juomalla kolmetoista lasillista vettä. Ensimmäinen palkinto oli kolme lasia vettä. Hän joi nekin!

Kemian kerhossa setvittiin aineiden koostumuksia. Kotonakin oli laatikollinen retortteja ja koeputkia. Tiskipöydän ääressä valmistettiin happea. Sitten siinä poltettiin kellonvietereitä, jotka paloivat lasipurkissa kirkkaasti loistaen. Ruutiakin yritettiin, ainakin pumpuliruutia. Onneksi vain pieniä määriä.

Ja olihan käsillä se kirjoista paras, Ilmari Jäämaan Nuorten kokeilijain ja keksijäin kirja.

Teatterikerhokin tuli kouluun perustettua. Se järjesti suurisuuntaiset hipat, Cabaret du Rideaun, johon painettiin hienot kutsukortit. Veikon, koulun lehden mukaan se edusti uutta, modernia tyyliä koululaisjuhlissa. Juhlavieraat istuivat ravintolatyylisesti kukin pöydässään ja katselivat kerhon esittämää kabaree-ohjelmaa. Ajatukselle ennustettiin lupaavaa tulevaisuutta »varsinkin jos keskilattialla saisi karkeloida». Kerho oli tietenkin melko lailla mittatilaus itseäni varten. Se vain harmitti, etten saanut kilpailujen kaikkia palkintoja. Amatöörit tunkivat väliin. Kerho tuotti myös ohjelmia, joita käytiin esittämässä sotasairaaloissa.

Koulu taisi olla syynä ensimmäiseen ulkomaanmatkaankin joka oli voimakas elämys. Syksyllä 1943 järjestettiin Tukholmassa pohjoismainen nuorisokokous johon kutsuttiin siellä olevat opiskelija-invalidit sekä kuusi koululaista Suomesta. Ulkomaille matkustaminen ei ollut yksinkertaista: tarvittiin poliisiviranomaisen, työvelvollisuusviranomaisen sekä suojeluskuntapiirin antamat esteettömyystodistukset. Rahaa sai viedä mukanaan 100 senaikaista markkaa, nekin vain kovana rahana. Sitä merkityksellisemmältä maistui sitten matka. Ruotsi oli kaukana siihen aikaan. Eikä siellä ei ollut puutetta mistään.

Matkan johtajana toimi lehtori Niilo Visapää, luutnantti ja eräs korkeimpia partiojohtajiamme. Hänestä tuli myöhemmin Normaalilyseon rehtori.

Turun ja Tukholman väliä liikennöi sininen Nordstjerna-laiva joka oli Ahvenanmeren merenkulun historiaa jo silloin. Portaat, reelinki ja hyttien seinät täyttä mahonkia, helat massiivista messinkiä. Höyrykoneen hidastahtinen jyskytys kertoi että meri kysyy työtä ja voimaa. Meidän matkamme sujui ongelmitta mutta edellisellä vuorollaan oli laiva vaivoin jyrkällä käännöksellä onnistunut välttämään torpedon.

Nordstjernan

Nälkään tottuneet suomalaislapset tuijottivat laivan lounaspöytää. Mokomaa ei edes ennen sotaa! Graham-perunamuusi-herkkujen maasta tulevalle oli keskellä lattiaa kohoava majoneesivuori niin liioitellun pursuileva, että se vaikutti pilalta: katkarapuja, lohta, majoneesia, sardiineja, leikkeleitä, rapeita ruotsalaisia näkkileipiä, voita, paksua maitoa, vihanneksia, hedelmiä. Niin paljon kuin halusit.

Tukholmassa hävisimme Skansenilla tietokilpailun, mikä harmitti. Illallisilla jouduimme tietenkin keskusteluihin skandinaavisten oppilaiden kanssa. Yritin puolustella aseveljeyttämme Saksan kanssa vanhoilla kulttuurisiteillä, prinssi Friedrich Karlilla ja jääkäriliikkeellä mutta sain takaisin kertomuksia keskitysleireistä, juutalaisvainoista ja maasta paenneista ajattelijoista. Niistä en silloin tiennyt mitään.

Yhtä tärkeä kuin itse koulu oli sen sisällä syntynyt toveripiiri Osmerus. Sen perustivat marraskuussa 1942 Kalle Vesanen, Jaakko Uotila ja Urpo Urho. Osmerus on norssiksi sanotun kalan latinankielinen nimi.

P.G.Wodehouse oli suosittu kirjailija, ja anglosaksisen esikuvan mukaan syntyi koulumaailmaan erilaisia kerhoja. Osmerus kutsuukin itseään Klubiksi, ja sääntöjen mukaan sen jäseniä piti tituleerata Mistereiksi. Tämä käytäntö eli kuitenkin vain vähän aikaa.

Osmeruksen tunnus on: Corpus sanus laborem non caret eli terve ruumis ei työtä kaipaa.

Klubin tarkoituksena on:

Engelbrektin kirkon edessä Tukholmassa 1942 .

1. Toimia tunnuksensa mukaisesti.
2. Harrastaa: tieteitä, taiteita, politiikkaa, kirjallisuutta, musiikkia, retkeilyä ja pelejä.
3. Auttaa jäseniään taloudellisissa vaikeuksissa.
4. Toverihengen edistäminen.

Sen lisäksi Klubi pyrki välttämään kiroilua.

Mahtoikohan myös Aurora-seura olla perustajien mielessä?

Osmerus on yhä olemassa, vaikka pöytäkirjojen pito ja virat lakkautettiinkin 1947. Nykyisin se kokoontuu pari kolme kertaa vuodessa ilman ohjelmaa. Kouluaikana kokouksia pyrittiin pitämään kerran kuussa. Ne sisälsivät ennalta valmistettuja esitelmiä, ex-tempore-puheita toisten antamista aiheista, väittelyjä, tietokilpailuja ja yhdessäoloa. Joskus sävy saattoi olla vakavakin, vaikka yleensä sai anarkistinen huumori vallan.

Yhteisenä tunnusmerkinä oli viininpunainen solmuke. Muutenkin pukeutumiseen kiinnitettiin huomiota.

Osmeruksen kokous. Heikki Louhivuori selostamassa naisen asemaa.

Jotkut meistä kävivät koulussakin tärkätty valkoinen ir-
tokaulus kaulassa!

Jäsenmaksujen särpimeksi Klubi hankki varoja järjes-
tämällä vuosittain Nahoille (uusille oppilaille) juhlan
jossa, kuvauksista päätellen, huumorin tason ei tarvin-
nut olla erityisen korkea. Nahat nauroivat kiitollisina.

Koulusta päästyä myytiin koulujen ja yliopiston lati-
nan opiskelijoille oikeiksi todistettuja Nepoksen, Cae-
sarin ja Ciceron käännöksiä. Business menestyi kuiten-
kin ontuen.

Suhtautuminen naisiin oli hellän kunnioittava ja kirk-
kaan shovinistinen.

»Naisen asema», josta Heikki Louhivuori alusti, vaati
kaksi kokousta ennen kuin sai ponnen hyväksytyksi.

4.III.45.

2 §

Kalle esitti edellisen kokouksen keskustelukysymyk-
sen »Naisen asema» päätöslauselman, joka kuuluu
seuraavasti: »Naisen korkein kutsumus olkoon
koti». Naiskasvatuksen eräänä tärkeänä päämääränä
olkoon edellämainitun kutsumuksen tietoiseksi
tekeminen. Verotus järjesteltäköön niin, että avio-
vaimon ei taloudellisista syistä hyödytä olla toimessa,
jos hänen puolisonsa ansaitsee kohtuullisesti ja, jos
fyysilliset edellytykset terveelle avioelämälle ovat
olemassa.

———

Kallen laatima ponsi hyväksyttiin, koska ajan niuk-
kuuden vuoksi ei voitu jatkaa keskustelua, johon
muutamat olisivat olleet halukkaita pitäen pontta
hieman vanhoillisena.

Vakuudeksi Upi

Klubin jäseniä ovat edellä mainittujen lisäksi Olavi As-
pinjaakko, Heikki Havas, Jorma Järvinen, Kauko Kuos-

ma, Jarmo Kurkela, Erkki Melakoski, Raimo Pekkanen, Pentti Penttinen ja Maunu Sinnemäki.

Sattui niin että kahdella Osmeruksen jäsenellä Jorma Järvisellä ja Jaakko Uotilalla oli sama koulumatka kuin minulla ja niin jouduin mukaan sen piiriin, vaikka en klassikko ollutkaan. Silloin vielä! Lokakuussa 1943 minut hyväksyttiin noviisiksi ja seuraavassa kokouksessa jäseneksi.

Kolme pojista on nyt poissa, Klubin itsestäänselvä puheenjohtaja Kalle Vesanen, yhtä itsestäänselvä sihteeri Urpo Urho ja Klubin urheiluekspertti Jarmo Kurkela.

Kalle oli hallintomies ja juristinalku jonka mielikuvitus ja ahnas kiinnostus pitivät meidät liikkeessä. Hän löysi toiminnalle uusia muotoja ja piti intomme vireänä.

Niin kuin esimerkiksi silloin, kun palasimme Teiniliiton juhlista Tampereelta, missä olimme esittäneet kirjoittamamme näytelmän Kolme teiniä. Junassa kotimatkalla Kalle huomasi, että erään helsinkiläisen kou-

Kalle Vesanen

Osmeruksen bailut
karjalaisessa osa-
kunnassa.

lun toverikunta oli ilmoittanut järjestävänsä juhlat,
jopa myynyt niihin lippuja saamatta kuitenkaan aikaan
tarvittavaa ohjelmaa.

Kalle keräsi osmerukset ravintolavaunuun. Pidettiin
lyhyt neuvottelu. Sitten hän pelotti naapurit kalpeiksi
kertomalla ennennäkemättömästä skandaalista, mah-
dollisesta koulusta erottamisesta ja maineen menetyk-
sestä. Samalla hän ilmoitti että me hyväntahtoisesti
voisimme pelastaa heidät esittämällä ohjelman heidän
juhlassaan. Tästä emme vaatisi muuta kuin juhlan
kaikki – myös buffetin tuottamat – nettotulot.

Vastapuolella ei ollut muuta mahdollisuutta kuin
suostua.

Meillä oli valmista ohjelmaa vaikka kahteen juhlaan.
Oli Kauko Kuosma, Erkki Melakoski, Heikki Louhivuo-
ri, minä ja muut yhtä esiintymisintoiset kaverit.

Päänumerona oli entisen norssin Jyrki Kauhtion kir-
joittama ooppera Romeo ja Julia, jota olimme jo esittä-
neet menestyksellä ja esittäisimme myöhemmin mm.
invalideille. Heikki Louhivuoren kaihoisa Julia (altto)

109

ja Urpo Urhon innostunut Romeo (tenori) olivat ylittä-
mättömiä. Oli vielä muita tuotteitamme: parodioita,
temppuja ja dialogeja. Ohjelman kasaaminen oli rutii-
nijuttu.

Kaappaus tuotti 5 000 senaikuista markkaa. Niillä
vuokrattiin Karjalaisen Osakunnan huoneisto ja smokit
koko sakille. Sitten juhlittiin. Kymmenelle parille oli
tanssilattiaa nelisensataa neliötä ja valssi oli suosiossa.

Osmerus hallitsi aikanaan koulun oppilaiden toi-
mintaa ja ulotti valtansa jopa Helsingin Teinikuntien
liittoonkin. Koulussa pidettävät tärkeimmät vaalit käsi-
teltiin ensin Klubin kokouksessa ja sitten ne ajettiin
läpi niin kuin niistä oli päätetty.

Välistä kyselee missä Kalle olisi tänään. Koulun ehkä
lahjakkain poika niinä vuosina.

Kun rajat sodan jälkeen aukenivat, hän lähti tyttönsä
kanssa Eurooppaan liftaamaan, tuli kotiin ja menehtyi
matkalla saamaansa polioon.

Hänen perustamansa Klubi täytää pian viisikymmen-
tä ja voi hyvin.

Kaveripiiri, jolle ei kannata bluffata, on paljon ar-
voinen.

VII

Kesällä 1943 filmattiin kolmas Suomisen perhe, nimeltään Suomisen taiteilijat. Aihe oli ajankohtainen. Pipsa ja Olli hankkivat sotaleskelle lehmän järjestämällä iltamat. Elokuva seurasi muuten tuttuja latuja eikä erityisemmin järkyttänyt mieltä. Sen yhteydessä tutustuin kuitenkin lähemmin Hugo Hytöseen. Hän jäi ihmisenä ja näyttelijänä syvälle mieleen.

Monin verroin tärkeämpää tapahtui teatterissa. Kaksikin uutta roolia. Ensin halvaantunut ja ihmeen avulla parantuva poika Emmet Laveryn jesuiittanäytelmässä Ensimmäinen legioona ja sitten Lancelot Gobbo Shakespearen Venetsian kauppiaassa. Edellinen oli vain pieni osa mutta tärkeä, koska näytelmän sanoma kulminoitui hänen henkilöönsä. Hufvudstadsbladetin arvostelijan mielestä vaikutin liian terveeltä, vaikka olinkin »pikkuinen ihmelapsi». Jälkimmäinen ei ollut valtava sekään mutta kuitenkin aito Shakespeare-rooli, jossa oli useita kohtauksia, jopa oma monologikin. Lancelot on juonikas pojanvesseli, vähän Puckin sukua. Tehtävä pani kovalle koetukselle.

Tärkeintä oli kuitenkin, että sain molemmissa näytelmissä esiintyä eräiden Pohjolan suurimpien näyttelijöiden kanssa. Heidän suora ja avoin, arvostavakin suhtautumisensa minuun teki oloni kotoiseksi.

Sellainen ei ollut kylläkään talon oma tunnelma. Ne jotka ovat nähneet Svenska Teaternin vain katsomosta

käsin ihastelevat näkemäänsä. Hurmaava, lämmin ro-
kokoosali, juuri oikean kokoinen ja iloisia odotuksia
synnyttävä. Näyttämön takana ympäristö muistuttaa
lähinnä sairaalaa. Ellei lavasteita olisi siihen aikaan
maalattu liimaväreillä, joiden haju sai tilat tuoksumaan
taidelaitokselta, olisi vaikutelma ollut pelkästään kolk-
ko. Pukuhuoneet ja niihin vievät käytävät vaikuttivat
kylmiltä. Lattioita peittävälle kumimatolle ei tehnyt
mieli astua paljain jaloin.

Näyttelijälämpiö oli sijoitettu toiseen kerrokseen,
harjoitushuoneen yhteyteen. Se oli kalustettu arvok-
kailla vaan ei kovin mukavilla huonekaluilla. Vaikutel-
ma muistutti kartanon salia. Oltiinhan siellä, kun
odoteltiin vuoroa harjoitukseen, mutta näyttämöstä se
oli liian kaukana. Niinpä taiteilijat viettivätkin vapaa-
aikansa näyttämön sisäänkäynnin naulakkohuoneessa.
Tosin se oli tilava ja sinne oli rakennettu pitkä penkki
tupakkapöydän ympärille. Siellä näyttelijät kohtasivat
silloin kun eivät olleet näyttämöllä.

En ole nähnyt Svenska Teaternin tiloja ennen suurta remonttia vuonna 1936 jolloin teatteri sai Eliel ja Eero Saarisen johdolla nykyisen muotonsa. Kuvauksista päätellen entisen henki olisi pitänyt säilyttää. Eiköhän se olisi ollut tehtävissä vaikka olisi paloturvallisuuskin otettu huomioon. Se inspiroi suunnittelijat paljaisiin ja palamattomiin pintoihin.

Klassiseen ranskalaiseen näyttämöön kuuluu joukko siltoja näyttämön alla ja sen yläpuolella. Olen nähnyt Comédie Françaisen näyttämömestarin polkaisevan vimmoissaan näyttämönsä lattiaa.

– Kuunnelkaa! Ei soi enää. Ennen täällä ei ollut tikkuakaan, kahtasataa vuotta nuorempaa. Nyt ne tekivät sillat raudasta. Paloturvallista. Kyllä kyllä. Mutta ei soi enää.

Käytävien kolkkous ei kuitenkaan vaikuttanut haitallisesti teatterin taiteelliseen tasoon. Siihen aikaan Svenska Teatern oli loistava taidelaitos. Teatterin näyttelijäkunta sisälsi joukon valovoimaisia, taitavia taiteilijoita. May Pihlgren, Gerda Ryselin, Kerstin Nylander. Oli Halvar Lindholm ja Runar Schauman. Luettelon pitäisi olla pidempi. Mainitsen nämä tekstissä aikaisemmin esiintyneiden lisäksi.

Entä Axel Slangus ja Erik Lindström. Kaksi taiteilijaa, joiden asema teatteritaiteen huipulla ei ole vuosien mittaan mielessäni järkkynyt.

Axel Slanguksen auktoriteetti näyttämöllä oli jatkuvasti purkautuvan tulivuoren kaltainen. Hän oli ollut suomalaisen elokuvan ensimmäinen Esko. Hänen isä Tardensa Anouilhin näytelmässä Villilintu on unohtumaton.

Onkohan Pohjolassa ollut ketään muuta kuin Lars Hansson, jonka voisi asettaa Erik Lindströmin rinnalle? On jotenkin katkeran lohdullista havaita, ettei hänen nimensä sano nykyiselle näyttelijäpolvelle mitään. Kuka se on, he kysyvät.

Niin lujasti on näyttelijä kiinni omassa ympäristös-

Erik Lindström

sään, omassa ajassaan, omassa hetkessään. Ja vain siinä. Kun esitys on ohi, ei esitystä ole. Kun näyttelijä on kuollut, ei hän ole enää näyttelijä. Ei järkytä, ei huvita.

Elokuvan ja television tuotteet ovat ohjaajan taidetta. Näyttelijän säteilystä ne sisältävät vain referaatteja.

Minulle Erik Lindström on näyttämön varsinainen jättiläinen.

Seurasin mestareiden työtä näyttämön sivusta ja katsomosta. Opettelin ulkoa heidän tapansa lausua repliikit, imin heistä kaiken minkä saatoin.

Vieläkin, kun tulee puhe suurista näyttelijöistä, osaan matkia Lindströmin tapa valita Venetsian kauppiaassa kolmesta rasiasta se oikea. Sanat ja sävyt ovat mielessä:

Det bor en dam i Belmont,
rik och skön
men vad som ännu bättre,
begåvad med sköna dygder.
—
Du, gråa bly,
som hotar mer
än lovar något,
dig väljer jag.
Må denna dagen bli min lyckodag.

Ei siinä kyllin aloittelijan silmille ja korville. Portiaa esitti itse Inga Tidblad Dramatenista. Legendojen legenda. Hänen monologinsa armon merkityksestä oli ihaninta mitä koskaan olin näytämöltä kuullut, kauniimpaa kuin mitä kuvittelin ihmisen voivan sanoa. Muistan kaiken:

> Barmhärtigheten kan ej tvingas fram;
> Hon faller liksom himlens milda regn
> på jorden ned
> i dubbelt mått välsignad,
> välsignande båd den som ger och får.

Inga Tidblad antoi minulle kuvansa Portiana. Siihen hän kirjoitti: Till Lasse Pöysti med önskan om en god fortsättning på konstens bana. Kuva sai heti kehykset ja katseli sitten ikonina seinältä.

Työ ei kuitenkaan sujunut ongelmitta. En millään saanut muotoa Lancelotin monologiin, siihen jossa hän häilyy kahden toimintamahdollisuuden välillä. Olin jo tulossa toivottomaksi, kun suurenmoinen Gerda Wrede ryhtyi käyttämään ruokatuntejaan auttamiseeni. Hän antoi liikkeitä, jotka selventivät vastakohtia ja korostivat niitä. Se auttoi. Sisältö kirkastui niin katsojalle kuin minullekin, niin luulimme. Ehkäpä työhön jäi tekemisen tuntua, mutta se kävi laatuun. Itsetunto alkoi nousta.

Ei kuitenkaan oltu vielä ensi-illassa.

Svenska Teaternia hallitsi toinen Pohjolan kahdesta viimeisestä teatterisatraapista, Nicken Rönngren. Toinen oli Oslo Nye Teaternin johtaja Axel Otto Norman, jonka tapaisin myöhemmin.

Rönngrenillä oli rajoittamaton valta. Joka suhteessa. Hänellä oli tapana istuutua katsomoon näytelmien valmistavassa kenraaliharjoituksessa. Harjoitus alkoi kun hän oli baskeripäisenä asettunut paikalleen neljännelle riville oikealla. Harvoin ehti esityksestä kulua kymmentä minuuttia, kun salista jo vyöryi Rönngrenin

Inga Tidblad
Portiana Venetsian
kauppiaassa.

STOOOOPPPP! Sitten tuli kysymyksiä, arvostelua ja muutoksia, jotka oli toteutettava välittömästi. Turha selittää tai väittää vastaan. Rönngren muutti kaiken mikä ei ollut hänelle mieleen. Hän saattoi tilata uudet lavastukset elleivät näyttämöllä olevat häntä miellyttäneet. Ensi-iltaa ei silti lykätty.

Kenraaliharjoitukset kestivät säännöllisesti neljään, viiteen aamulla. Seuraavan päivän harjoitukset pidettiin kuitenkin ajallaan. Ja illalla oli ehkä uusi kenraali.

Pääsin monologin puoliväliin . . .

Stooooooooppp!!!

Ja sitten:

– Varför hoppar och skuttar gossen sådär? Kan han inte sitta stilla?

Kuulin että katsomossa selitettiin. Gerda kai kertoi vaikeuksistani ja puolusteli käyttäytymistäni. Se harmitti.

Tietysti turhaan.

– Vad är det för dumheter. Han skall inte springa fram och tillbaka. Var vänlig och ta om monologen, men sitt på er plats!

Niin kuin olisi joutunut kutomaan sukkaa kädet selän taa sidottuina. Turvallisuuskikat olivat poissa. Tuskin muistin tekstiä. Itku salpasi kurkkua. Ympärillä, näyttämön pimeillä reunoilla istuivat jättiläiset, jotka näkivät miten pelkäsin yksin näyttämöllä. Toivoin vain että kaikki jotenkin päättyisi pian.

Seuraavana päivänä ei Gerda jättänyt minua pulaan vaan harjoitteli kohtauksen uudestaan Nickenin rajoitusten mukaan. Olihan analyysi kuitenkin jo paljon selvennyt minulle edellisissä harjoituksissa.

Arvostelut eivät olleet kehnot, joten hommasta päästiin kuiville.

Nämä kohtaamiset suurten näyttelijöiden kanssa, Inga Tidbladin kuva ja tosi teatterityö, panivat tarkistamaan ennen niin vankkoja tulevaisuudensuunnitelmia.

25.01.44.

Mutta päälinja on aina sama: ei itseä, vaan maailman hyveiden tai Jumalan hyväksi. Siitä minun on aina pidettävä kiinni, sen minä luulen ja toivon aina muistavani. Nyt on aikomukseni seuraava: sotaväkeen jouduttuani ja rintamalle päästyäni, siinä tapauksessa, että siihen tarjoutuu mahdollisuuksia, koetan lueskella ranskaa, että oppisin kieliä. Jälleen siviiliin jouduttuani alottaisin opintoni yliopistossa. Aineitani olisivat teologia, filosofia ja estetiikka. — Sitten kun olen muodostanut oman selvän käsitykseni tästä elämästä, voin antautua vaikkapa kirjailijaksi tai miksi muuksi tarkoituksiini sopivaksi henkilöksi hyvänsä. Kun nyt tätä kirjoitan, hymyilen itsekin ajatuksilleni ja niiden lapsellisuudelle mutta niin lapsellinen en kuitenkaan ole, etten pystyisi omia käsityksiäni arvostelemaan ja niiden lapsellisuutta tajuamaan.

Ajatuksia sekoitti vakavasti myös yläluokilla alkanut kirkkohistorian opetus.

Tartuin ensin kirjaan innoissani. Tässähän olisi nyt tekstiä juuri siitä mitä tulisin yliopistossa lukemaan syvemmältä.

Ainetta opetti Rafael Holmström joka oli pappi. Hänestä oli hiljakkoin tullut Normaalilyseon rehtori. Välimme olivat hyvät. Hän piti arvossa teatteri- ja filmityötäni. Tarvittavat vapaa-ajat järjestyivät helposti.

Hän opetti kirkkohistoriaa selostaen kehityksen laajoja linjoja. Myös historian opettaja, pohjalainen Uuno Uljas Seppä oli samaa maata. Hänkään ei välittänyt vuosilukujen osaamisesta, vaan antoi pisteitä kokonaisuuksien ja yhteyksien tajusta.

Mutta!

Jos haluat säilyttää lapsenuskosi, älä pengo kirkkojen menneisyyttä.

Luin halulla ja kiinnostuksella. Osasin Gregoriukset

ja Ambrosiukset, Zinzendorfit, Herrnhutilaiset, Zwinglit ja Melanchtonit. Erityisesti pidin kveekareiden yksinkertaisista jumalanpalvelusmenoista. Ludvig XIV oli vihattu henkilö Nantesin ediktin peruuttamisen johdosta.

Sankarini oli Filip Melanchton. Vertasin häntä Kalle Vesaseen, jota myös suuresti ihailin.

Mitä enemmän luin, sitä useammin kyselin: miksi helvetissä kaikki tämä sotku? Miksi prelaatit määräsivät kuninkaita ja kuninkaat prelaatteja, kaikilla Jumalan siunaama sulava selitys huulilla. Tai miekka kädessä! Jonakin vuonna tapettiin yhdestä syystä, seuraavana päinvastaisesta. Miten ihmiset saattoivat käsitellä tärkeitä asioita niin uskomattoman pässimäisesti?

Ja, ennen kaikkea, miten Jumala salli kaiken tämän?

Calvin ja riidat transsubstantiaatiosta olivat viimeinen pisara. En saattanut ymmärtää sen kysymyksen tärkeyttä, muuttuuko ehtoollisleipä todella Kristuksen

Venetsian kauppias, Svenska Teatern 1943. Schylock – Axel Slangus.

ruumiiksi ja jos, niin millä hetkellä, vai kuvitellaanko sen vain muuttuvan vai muuttuuko se olemukseltaan mutta ei aineeltaan, substanssiltaan. Kun mietin teloitettujen, kidutettujen ja kiusattujen määrää, joka tämän kysymyksen ympärillä syntyi, sekosivat perspektiivit.

Hyväksyin ennemmin Venetsian Kymmenen neuvoston ja sen lyijykamarit, koska se toimi avoimen roistomaisesti: tehtävänä oli suojella Venetsian kauppaa, rikkautta ja mahtia. Mutta Calvinin teloitukset ja kidutukset Korkeimman nimeen inhottivat. Puhumattakaan siitä ilottomuudesta ja rakkaudettomuudesta, jota hän kylvi ympärilleen.

Calvinin jälkeen lakkasin lukemasta kirkkohistoriaa kiinnostuksesta.

Mieleen jäi vain Melanchton. Ja vähän kveekareita.

Ripillepääsy näissä tunnelmissa oli monimutkainen kokemus. Rehtori Rafael Holmström piti meille rippikoulun. Sisällöltään se oli aika käytännöllinen. Saimme monta käyttökelpoista neuvoa tulevaisuutta varten ja tärkeätä tietoa myös elämän varjopuolista.

Ripille päästiin Johanneksen kirkossa koulumme vieressä. Muistan siitä oikeastaan vain sen, että itkin kuin seula. Kyselin itseltäni jälkeenpäin, miksi? En löytänyt muuta syytä kuin urkumusiikin joka yhtäkkiä pauhasi meille, jotka olimme tilaisuuden aihe ja keskipiste.

Syvimmän ja kestävimmän vaikutuksen teki kuitenkin Per Lindbergin kirjoittama Gösta Ekmanin elämäkerta, jonka pikkuserkkuni Liisa Virtanen antoi rippilahjaksi. Tekisi mieli sanoa että se oli tärkein kirjani. Sanon oli siksi että tietysti olen lainannut sen jollekin, saamatta takaisin. Niinhän rakkaimmille kirjoille käy. Kerrot niistä innoissasi ja ne saavat siivet. Niin kävi kirjalle Konfuciuksesta Den vise Kung. Niin kävi kirjalle Schauspieler und Direktoren, jonka ostin divarista ja löysin siitä Nicken Rönngrenin nimen. Hän ei ollut kestänyt pitää sitä hyllyssään, se kun kertoo saksalaisten näyttelijöiden olosuhteista 1910–20 luvuilla. Hah hah ha!

Ja missä on Mantziuksen teatterihistorian I osa. Sen veivät luultavasti teatterikoululaiset jotka hyppivät pöydillä kun me olimme Tampereella.

Älykäs lukija on jo ymmärtänyt että yritän tätä tietä saada edes jonkun kirjoista takaisin.

Mutta se Gösta Ekman! On vaikeata eritellä millä tavoin hyvän kirjailijan kuvaus suuren näyttelijän sisimmästä uppoaa näyttelijänammattiin kompastelevaan vesaan. Taiteilijana, jonka ehdottomuus ja taiteellinen satsaaminen olivat kuin kohtalon ohjaamia. Kirjan nielee kokonaan, eikä ole myöhemmin mahdollista piirtää rajaa sen kuvaileman hahmon ja oman persoonan välille. Se sysäsi alulle kiinnostuksen Ruotsin kolmanteen Kustaaseen monien muiden roolien ohessa.

Teatteri alkoi muuttua todeksi, elokuvassa tulivat ensimmäiset oikeat näyttelijäroolit ja lapsuuden näkymät sumuuntuivat verkalleen.

Ympärillä sota koveni. Pommitukset kuuluivat jokapäiväiseen elämään. Teatterissa juoksin aina kiireellä näyttämön yli. Tiesin mitkä määrät tavaraa riippui pään yläpuolella. Viholliskoneita tuli joskus yllättäen, ilman edelläkäyvää hälytystä.

17.2.44.
No – me selvisimme kuitenkin viime yönä. Puoli kuuteen asti me istuimme ja seisoimme pommisuojassa, ja pääsimme sitten pois. Uutisissa sanottiin juuri, että koulut täällä rannikkokaupungeissa lopettavat toimintansa ylihuomenna. Meidän pitäisi joko mennä maaseudulle tai lukea ominpäin. Minä aijon valita jälkimmäisen vaihtoehdon. Saa nyt nähdä, jos vielä tulee uusia määräyksiä, esimerkiksi pakkoevakuointi. Minä kun en millään haluaisi mennä pois matkojen, koulun, perheen ja monen muun takia. 21.II.44. klo 0.44.

Makaan painimatolla koulumme pommisuojassa. Ei ole hälytystä, mutta olemme täällä päivystämässä siltä varalta, lehtori Joki, Joppara, Pekkanen ja minä. Tehtävänämme on olla ensimmäisinä sammuttamassa, jos koulu saa osuman.

———

Rehtori kävi äsken täällä ja kertoi, että me koululaiset joudumme is-joukkoihin. Se sotki minun riitinkini kerrassaan. Olin aikonut lukeaa itselleni oikein hyvän pohjan koulua varten, soittaa, lukea kirjallisuutta, näytellä teatterissa ja radiossa, mutta nyt menee kaikki päin – ! Olen ajatellut mennä it:henkin mutta aikaa vie sekin. Saa nähdä sitten, millaiset säädökset tuohon liittyvät.

VIII

Ainoa alue jolla toimeliaisuus ei tuonut menestystä olivat tytöt. Olin saamaton ja se masensi jatkuvasti vuosikaudet. Yhtämittaisesti rakastunut kylläkin, yhteen jatkuvasti ja muihin vaihtelevasti, mutta tulokset näyttäytyivät vain päiväkirjan lehdillä.

Kiihkeää rakastumista rakastumiseen. Mutta ei pusun pusua.

Mitä auttoivat analyysit päiväkirjassa?

1.1.44.
Katsos, minä olen vähän epänormaali tyyppi. Joko minulla kulkee ruumiillinen kehitys henkisestä jäljessä tai henkinen ruumiillisesta edellä. Sehän on sama asia, sanot varmaan, mutta ei – siinä on ero – vivahdusero.

———

. . . minuunhan pitäisi kaikkien tyttöjen pihkaantua ihan villisti, mutta ei. Katsos minä olen taas ruumiillisesti niin saaplarin pentumainen että mua itteänikin suututtaa.

Selitykseksi ei riitä nuorena päällepaukahtanut julkisuus. Päiväkirjasta huomaa kyllä siellä täällä, että yllätyin, kun melko kaukaiset tytöt halusivat valokuvani tai kantaa luokkasormustani. Epävarmuus istui syvemmällä. Ja onhan sitä sitten jatkunutkin . . . Epävarmuus siitä kumpi se enemmän vetää, minä vai julkisuus.

Oli tyttö Karjalasta. Perhetuttava, jonka kanssa olimme jo Sortavalassa pelanneet shakkia ompelukone pöytänä ja istuneet yhdessä reen takalaudalla, kun naapurit hakivat perheet hevosilla Haavukseen karjalanpaistille ja piirakoille.

Äidit olivat aina luoneet meihin hyväksyviä silmäyksiä, ehkä vähän liikaakin.

Sodan jälkeen jouduimme eri kaupunkeihin, mutta tunne vaan kasvoi. Tunne? Ihannointi, jumalointi!

Eikä yhtään syyttä!

Kukaan ei koskaan uhannut hänen asemaansa mieleni kukkaiskentillä. Kymmeniä ja kymmeniä päiväkirjansivuja, täynnä aina samaa ja samaa tekstiä. Mitä tulisin tekemään kun tapaisimme, ja miksi oikeastaan tein niin tai näin, kun sitten tapasimme, mitä hän tarkoitti sillä ja sillä ennen kuin tapasimme, ja mitä sen jälkeen? Pitääkö hän minusta todella, vai ei?

Ani, tyttö Sortavalasta

Sellaista päätöntä tekstiä, joka täyttää miljoonat päiväkirjat. Tavanomaista lemmen kaupankäyntiä, jossa minä aina myin voin ja kadotin rahat.

Esimerkiksi näin:

8.10.44.

Ani on kaupungissa! Kuulin siitä eilisiltana. Rullan oli nimittäin nähnyt Hänet Stockmannilla ja he olivat tervehtineet toisiaan. Elän nyt vaikeita aikoja näinä päivinä. Katsos, minä voisin nyt joko soittaa hänelle tai olla soittamatta. Kumpikin tuo mahdollisuutensa. Jos minä soitan hänelle, ilmoittaa hän luultavasti matkustavansa huomenna tai ylihuomenna, tai sitten hänen aikansa on niin ylösotettu, ettei Hän jouda tapaamaan minua. Ja hän viettää taas riemuvoittoja kun tietää minun taas iskeneen kirveeni kiveen samalla kun minä tulen Hänelle aina vain vastenmielisemmäksi. – Mutta taas, jos minä en soitakaan Hänelle, joutuu Hän iskemään kirveensä kallioon, ja minä – kärsin! Oletan nimittäin seuraavaa: Kun hän näki Rullan, ajatteli Hän: »Nyt saa ruveta odottamaan Lassen soittoa!» Hän on miettinyt valmiiksi vastauksensa minulle ja on varustautunut kaikin puolin. Mutta sitten en minä soitakaan. Miten luulet hänen ottavan sen? Juu! Hänen mielenkiintonsa minua kohtaan kasvaa, katsos, minä luulen tietäväni, että jonkunverran kiinnostusta minä olen pystynyt hänessä herättämään. En ole varma siitä, pystynkö minä tällä taktiikalla jotain voittamaan, mutta en luule mitään menettävänikään. Sillä en luule, että voin voittaa Häntä puolelleni koko ajan roikkumalla hänessä kiinni, milloin vain Hän tuleekin Helsinkiin, ei, vaan kun Hän huomaa ettei Hän niin armottoman tärkeä olekaan minulle, voi olla, että Hän koettaa tekeytyä ainakin hiukan tärkeämmäksi. Onhan sellainenkin mahdollisuus olemassa, että minä olen Hänelle vain pelkkää ilmaa, ja silloin ei mikään tee Häneen vaikutusta, soitin tai olin soittamatta. Toivon nyt vain sattumalta kohtaavani Hänet, sillä muuten tartun pian puhelimeen. Hyvää yötä.

Kun päiväkirja jo sisälsi selviä viitteitä jumalattaren ainakin jonkinasteisesta suosiosta, ei asiassa kuitenkaan tapahtunut minun puoleltani minkäänlaista edistystä. Ikään kuin asian käsitteleminen paperilla sivu sivun jälkeen olisi ollut kaiken tarkoitus.

Menestys maineen markkinoilla ei yhtään kasvattanut itsetuntoa tällä tärkeällä alueella:

27.3.45.
(Anin sisaren, Ritan häät.) Kun nyt jälkeenpäin ajattelen, minkä vaikutuksen Sinuun tein (jos yleensä tein mitään), ja pystyisinkö parantamaan suhdettamme (tai miten sen nyt sanoisi), lämpenen väliin, varmana siitä, että Sinä pidät minusta edes hiukan; väliin taas kylmät hikipisarat kertyvät niskaani, kun huomaan Sinun päivänselvästi karttavan minua; tai sitten vie minulta voimat varmuus siitä, että olen Sinulle pelkkää ilmaa, ettet Sinä vihaa, etkä rakasta minua, vaan että olen Sinulle aivan samantekevä. – Joka tapauksessa olen sitä mieltä etten pystynyt papereitani parantamaan sunnuntain kuluessa. Ja kun mietin, mitä sellaista olisin pystynyt osoittamaan, joka olisi herättänyt Sinussa edes kiinnostusta minun, puhumattakaan muusta, tulen toivottomaksi. En ole miehekäs, en tanssi hyvin, tuskin pystyin väsymykseltä keskustelemaan, kaadoin viinilasin, ja koettaessani varjella pöydänpintaa pilaantumiselta, käyttäydyin kuin lehmä tulipalossa, tuskin pitänet siitä, että poltan, puhuin tietysti liikaa itsestäni ja näyttelin Osmeruksen valokuvia. Minun kengistäni lähtivät useimmat juovat parkettiin, lainapukuni ei istunut yhtä hyvin kuin muiden, käteni olivat hikiset

jne, jne. loputtomiin. Sen lisäksi osoitit surettavan suurta kiinnostusta F:n poikaa kohtaan, jolla ikänsäkin puolesta on suuremmat mahdollisuudet Sinuun nähden kuin konsanaan minulla.

Lapsellisuus ei yhtään parantunut siitä, että olin siitä tietoinen. Se tuotti jatkuvasti uskomattomia tapauksia. Niin kuin seuraavankin.

Olin kutsunut hänet Oopperaan.

12.10.45.

Ja heti ensi hetkestä meni minulta konseptit sekaisin. Minun hienoista ja henkevistä keskusteluistani ei tullut mitään. Pelkäsin koko ajan, että minun henkeni haiseee, en uskaltanut katsoa häntä silmiin ja, niin, suoraan sanoen, minusta tuntui, ettei hän ollut enää yhtä kaunis ja henkevä kuin ennen. Olin lainannut isän pistoolin mukaan. Osaksi mahdollista tarvetta silmälläpitäen, (siihen aikaan oli kaduilla pimeän tultua rauhatonta. – LP) osaksi se kuului siihen minun hienoon mosaiikkisuunnitelmaani iltaa varten. Ja minulle tarjoutuikin hienompi tilaisuus vaikutuksen tekemiseen, kuin olin osannut odottaakaan. Kun olimme portailla raitista ilmaa ottamassa, lähti Anilta korko. Sanoin korjaavani sen noin vain . . .!!?! Etsiskelin sitten kiveä, jolla voisin sen nakuttaa paikalleen, mutten löytänyt. Silloin muistin tykkini takataskussa. Koettaen pitää sen näkymättömissä – mahdollisimman huolimattomasti – hakkasin sillä sen kengän kuntoon. Varmemmaksi vakuudeksi, siltä varalta, ettei hän olisi sattunut sitä huomaamaan, näytin sen vielä hänelle : »Kattos, Ani, millä mä sen hakkasin, he, he, he!» !!! olenko mä hullu, vai vaan muuten lapsellinen?

Vuodet kuluivat. Syntyi vain kirjoitettua sanaa, myös runomuodossa.

12.5.49.
Romanssi tummalle Freesialle.
Kaiken sielussaan tuntien kirjoittanut ja Hänelle
omistanut niin perin suurikätinen Don Cherubin.

Tuulten tuoksu,
päivän nousu,
kuulakkuuttaan häpeää!
Kukat, linnut,
laulun soinnut,
alas niiltä painuu pää.

Kaikkialla
kaupungilla
missä kenkäs keinahtaa
Sinut, kallis,
kaikki sallis
ihanimmaks tunnustaa.

Miksi kerran
hetken verran
minuun katsovan sun näin?
Kömpelyyttäin,
suurta suutain
iäks miettimään mä jäin.

Johdonmukaisesti kävi sitten niin että runo löysi Free-
sian vasta kolmekymmentäkahdeksan vuotta myöhem-
min.

Runosta kiitokseksi on jääkaapissani nyt läpi talven
raikkaita puolukoita.

Tietenkin kuvaan kuului joukko muita tyttöjä, joihin
piti rakastua yhtä mittaa, ja saada syntymään kaikenlai-
sia jänniä, todellisia tai oletettuja intriigejä – joista
sitten taas syntyi päiväkirjanlehtiä. Suhteen lopettami-
sia. Selityksiä. Analyyseja ennen ja jälkeen tapaamisen.
Pihkassa taas!! Olenko pihkassa vai en? Panttileikkejä.

Tulitikkusiltoja. Viimeisen kerran – ja sitten vielä ihan viimeisen kerran.

Sellaista uimaopetusta kuivalla maalla. Opettajina tytöt, jotka olivat mukana hippasakissamme. Mitä loistavimpia tyttöjä. Muutamat heistä jäivät poikien elinkumppaneiksi. Siihen aikaan heitä sai vielä vapaasti metsästää. Minä metsästin kuin Sakuntalan kuningas Duschyianta, omiin intialaisiin kädenliikkeisiini keskittyneenä.

Kotikasvatus, poikakoulu, uskonnollisuus ja ehkä myös julkiselämän synnyttämä epäselvä tilanne, siinä kai pääsyyt, kehittymättömyyden ja lapsellisuuden lisäksi?

Anikin kertoi, että häntä hävetti liikkua kanssani raitiovaunuissa, kun ihmiset tuijottivat. Huomasin kyllä, että hän pysytteli erillään, jos voi.

Pussaaminen oli vaan jatkuvasti niin monimerkityksellistä ja pelottavaa.

11.2.47.
Voi, kuinka vaikeata on suudella naista, jota rakastaa. Koko »toimitus» tuntuu niin pyhältä, vailla kaikkea aistillisuutta olevalta, että ihmisruumiin elimet tuntuvat saastaisilta tehtäväänsä suorittamaan. Epäonnistumisen pelko, ajatus: mitä sitten seuraa, minkälaisia seurauksia se saa aikaan?, ajatus: eikös ole hyvä näinkin?, ja lukemattomat muut ajasta ja paikasta johtuvat tekijät tekevät koko toimituksen mahdottomaksi suorittaa.

Kaikkein surullisinta on se, että kun sellaista sattui, häpesin sitä. Se oli periaatteitteni vastaista, epäpuhdasta! Täytettyäni reilusti kahdeksantoista kirjoittelin vielä seuraavanlaista.

30.3.45.
Niin – täytyy tunnustaa, etten ole siinä aivan onnistunut. (Nimittäin pitämään itseäni »puhtaana» Ania

varten. – LP) Jos muistelen, ketä, ja milloin, olen
suudellut, voin palauttaa mieleeni seuraavat tapauk-
set. Ensiksi A.O:aa kerran panttileikissä, kerran
suuteli R.H. minua (hm) maskihuoneessa poisläh-
tiessään, kerran tein minä saman hänelle hänen
ovellaan, ja kerran suuteli eräs flikka, jonka nimeä
en muista, minua eräissä hipoissa panttileikissä. Siis
neljä kertaa. Perkule, kun se selibaatti on kerran
mennyt noin paljon myttyyn, niin miks'en minä
samalla olis voinu suudella parempiakin flikkoja
meidän omissa hipoissa. Sapettaa ihan !

En oikein tiedä, miten muilla pojilla oli. En ainakaan
tiedä kaikista. Mutta jossain määrin ongelmien täytyi
olla yhteisiä. Tytöt, naisista puhumattakaan, olivat
meille useimmille jumaloituja, mutta etäisiä. Ainakin
osasimme koska hyvänsä kajauttaa neliäänisesti

> Warum bist du so ferne,
> Oh, mein Lieb?
> Es leuchten mild die Sterne,
> Oh, mein Lieb.
> Der Mond wird bald sich neigen
> in seinem stillen Reigen.
> Gute Nacht
> Mein süsses Lieb.
> Gute Nacht
> Mein süsses Lieb.

Osasimme toistemme stemmat niin, että jos vain neljä
oli paikalla kvartetti syntyi helposti. Ja me lauloimme
keskittyneesti, antaumuksella, kuin isotassuiset suden-
pojat kohti kuun loistavaa levyä. Mutta kuu ei vaan
tullut lähemmäksi.

Sitten kävi niin että ensimmäinen meistä avioitui.
Hänet huudettiin tietenkin todistamaan heti seuraa-
vassa kokouksessa.

22.V.46.

5 §

Eki alusti kysymyksestä »Avioliiton psykologiaa.» Vastat-
tuaan ensin muutamiin käytännöllistä laatua oleviin ky-
symyksiin hän esitti muutamia huomioitaan naisen suh-
teesta erotiikkaan. Pian tämän jälkeen keskustelu siirtyi
käsittelemään poikamiehen psykologiaa, jonka aikana Eki
esitti aviomiehen näkemyksen eri kysymyksissä. Kosketel-
tuaan sukupuolikysymystä eri tahoilta keskustelu lopulta
päätyi niihin »estoihin», jotka estävät ryhtymästä suku-
puoliyhdyntään, kävi ilmi, että yleinen mielipide piti n.s.
»moraalisia» estoja voimakkaimpina. Yleensä tähdennet-
tiin puhtauden merkitystä tulevalle avio-onnelle, joskin
muutamat esittivät omana mielipiteenään, ettei puhtau-
den menetyksen suinkaan tarvitse merkitä vakavaa uhkaa
tulevalle avioliitolle, vieläpä aikaisempi kokemus saattaa
olla apuna avioliiton vaikeina alkuaikoina ohjaamassa
kehitystä luonnollisiin uomiinsa. Käydystä keskustelusta
kävi ilmi, että klubi oli saanut ns.»vanhanaikaisen» t.s.
ei minkäänlaista kasvatusta tässä suhteessa ja näin ollen
ottanut asioista selvää itse päätyen kuitenkin jokseenkin
moraalivoittoisaan kantaan hyväksymättä mitään suku-
puolihurjasteluin saavutettua kokemusta, vaan pyrkien
asiallisella ja terveellä pohjalla luomaan teoreettiset ja
käytännölliset edellytykset tulevalle avioliitolleen.

In fidem Upi

Mutta kärsimyksillä on rajansa. Jollei niistä vapahda
kuolema, tekee sen nainen. Niin minun tapauksessani.

23.9.47.
Tästä päivästä lukien en ole enää poika. Turha
sanoa sitä noin pateettisesti, sillä itse asiassa koko
tapahtunut merkitsee minulle varsin vähän.

Se oli kyllä vale. Asiaa oli pohjustettu jo jonkin aikaa,
minä olin tehnyt valmisteluja, ja kaikki oli sujunut
suunnitelmien mukaan.

Ikävää kuitenkin, että reaktio oli niin pohjoismaisen viileä.

Tässä yhteydessä sopii kertoa Dario Fon kokemuksesta Suomenmaassa. Dario ohjasi meillä Lilla Teaternissa, ja Lappeenrannassa toimiva italialainen ravintoloitsija oli kutsunut hänet viikonloppuvieraakseen. Sinne ravintolaan tuli sitten lauantai-iltana hurmiossa oleva 12–14 vuoden ikäinen nuorukainen, joka onnen huumassa pyysi saada jotain juotavaa, mitä vaan, kaikki olisi ihanaa.

Liikuttuneena Dario kutsui hänet pöytäänsä. Nähdä läheltä nuorukainen, joka ehkä juuri on ensi kerran kokenut lemmen huuman!

– Mitä saisi olla? Voisitko kertoa vähän? Oletko rakastunut? Onko hän myös rakastunut?

– Mitä? Ei, en mä mitään semmosta! Mä oon enskerran ollu oikeen kunnolla kännissä.

– Merkillinen maa, sanoi Dario Fo.

Oli sitä viinaa mukana minullakin. Olin varmuuden vuoksi varannut pullon Koskenkorvaa sinne matkoilla olevan ystävän atelieriin, mutta ei sitä sitten tarvittu.

Päiväkirjan sävy on kyyninen.

– Minulle ei poikuuteni viime aikoina ole ollut kovinkaan arvokas. Olen varma siitä, että olisin sen pian myynyt eniten tarjoavalle – tai kerrassaan lahjoittanut sen enempää katsomatta. – Mitäkö nyt ajattelen!? En tiedä. Kai, että olin kömpelö; nyt se on sitten tehty, en tiedä? Ehkä siitä voi myöhemmin innostuakin. Tänään se ei tehnyt suurempaa vaikutusta minuun. Tuskin hän oli edes tyytyväinen.

Sävyssä on kyllä aika annos leuhkuutta. Olimme tunteneet toisemme jo jonkin aikaa, ja kehitys oli selvästi kulkenut tähän suuntaan. Sitä paitsi suhde jatkui ja innosti kyllä hyvinkin jo heti seuraavalla tapaamisella.

Sävy johtuu paljolti siitä, että minua niin nolotti,

kun ystävättäreni oli niin kamalan vanha – 31 vuotta.

Kun sitten hyvin, hyvin paljon myöhemmin makasin sairaalan teho-osastolla ja arvelin kuolevani, kävin läpi elämääni osa osalta. Vaikka selvästi totesin, että sain olla ihan kiitollinen siitä mitä olin osakseni saanut, tuntui jossain mahanpohjassa vastarintaa tilinpäätöstä kohtaan.

– Mitä sinä oikein mariset, Pöysti?

– No, kun se nuoruus jäi pitämättä!

Lemmenrunojen sävykin oli silloin jo muuttunut.

> Kirsikanpunaa oli huulet sen,
> kastanjasta tukka,
> ja varpaat pienestä naurismaasta,
> silmät kuin päivänkukka.
> Vartalo oli kuin vaahteran,
> povi kuin äidin pulla,
> ja pempukka pyöri kuin gasellin
> ja syli oli lämmin tulla.
>
> Kaulakin oli kuin joutsenen
> ja posket omenapuusta.
> Ja liivit ja nyörit se naulaan jätti
> kohta huhtikuusta.
>
> Sielussa hehku' se helvetinmieli
> ja poru miestä uutta.
> Lemmestä lirputti leikkisä kieli.
>
> Muu oli petollisuutta.

Vanhan ystävyyden nimessä lähetin sairaalasta lempeän ajatuksen pilviharsojen taa: anna vielä kaksi vuotta! Kaksi tervettä vuotta. Yritän ottaa vahingosta takaisin, sen minkä voin. Muista se, että olit itse lusikkoinesi sitä kiisseliä tekemässä!

Niitä vuosia on kertynyt viisitoista.

IX

Rehtorin arvelu että me yläluokkalaiset joutuisimme ilmasuojelujoukkoihin osoittautui vääräksi.

Kaksi päivää myöhemmin olin ilmatorjunnassa.

Koska koulut suljettiin, otettiin koululaisia vapaaehtoisina Helsingin it-pattereille. Kulki huhu että puolet ilmatorjunnassa palvelemastamme ajasta laskettaisiin meille hyödyksi myöhemmin asepalveluksessa.

Luvan saaminen kotoa ei ollut helppoa. Isä vastusti, niin kuin hän aina vastusti, kun oli kysymys »vaarallisiin» paikkoihin menemisestä, niin kuin aikoinaan Jämijärvelle purjehduskouluun. Määrätietoisella puhumisella sain hänet kuitenkin taipumaan.

Marssimme Taivaskallion patterille Käpylään. Liisankadun kulmassa tädit päivittelivät: joko niitä noin nuoriakin viedään! Meistä se oli hyvä vitsi, jota sitten toisteltiin se päivä. Oltiinhan sitä jo 16-vuotiaita. Kova ikä sotilaspojalle.

Taivaskallio on melko korkea kukkula Käpylän kyljessä Helsingin pohjoispuolella. Sieltä avautui avara panoraama yli kaupungin. Lännessä kohosi Pasilan mäki lähimmäksi naapuriksi, idässä oli Herttoniemen hyppyrimäki kiintopiste. Se oli kyllä vähällä muuttua silpuksi. Eräs vihreä maanpuolustaja sekosi nelostykin korkeuslukemissa niin että tykin putki oli tulikomennolla vaakasuorassa. Sivusuuntaus oli Herttoniemeen päin. Onneksi ei kuitenkaan ihan tarkkaan hyppyrimäkeen eikä muuhunkaan rakennukseen tai elävään. Annettuaan tulikomennon ehti vänrikki Setälä pudottautua tulenjohtobunkkeriin. Hän oli seisonut sen laidalla, tarkkaan putken edessä.

Pohjoisessa Messerschmidtit nousivat Malmin kentältä itää kohti. Italialaiset Savoia-Marchetti kuljetuskoneet toivat myöhemmin samalle kentälle miehistötäydennystä saksalaisille. Koneet lensivät matalalla tykkiemme yli. Sotilaat seisoskelivat koneiden avoimilla ovilla kuin parvekkeilla vilkuttaen meille Grüssen aus dem Süden!

Ja lopulta tuli samaa reittiä Luftwaffen nelimoottorinen Kondor. Emme tienneet, että siinä mietiskeli Ribbentrop. Hän ei muistaakseni vilkuttanut.

Aseistuksemme oli neljä Boforsin kolmen tuuman ittykkiä Malli 27, norsupyssy ja konekivääri. Kaikki aseet olivat omissa tukevissa bunkkereissaan, samoin Vickers tulenjohtokone ja etäisyysmittari. Kivääritkin meillä oli, sellaiset italialaiset Ternit. Heittoaseiksi niitä sanottiin, mutta kyllä ne paukahtivat ihan niin kuin arvostetummatkin pyssyt.

Sotaretkemme teki miellyttäväksi kavereiden mukanaolo. Monet Osmeruksen jäsenet, jotka eivät jo olleet palveluksessa, tulivat nyt Taivaskalliolle. Kaiken lisäksi oli järjestetty niin, että opettajamme kävivät pattereilla ja yrittivät antaa edes nimellistä opetusta. Näin pääsimme luokalta sotimisesta huolimatta.

Tunnelma oli ensimmäisenä päivänä hilpeä, mutta samalla juhlallinen.

23.02.44.
Tuntuu kummalta! Siviili on selän takana pariksi, kolmeksi, ehkä kymmeneksi vuodeksi, kaikki muuttuu. Kun ensi kerran näin meidän patterimme putket, tuntui aika juhlalliselta. Odotamme jännityksellä ensimmäistä taistelutoimintaa, meille on jaettu pumpulia korviin pantavaksi ja varoitettu kovasti olemaan halkaisematta korviamme.

Tällätty kuva maan-
puolustajasta.

Aluksi asuimme oikeassa maanalaisessa korsussa.

29.02.44.
Makaan petilläni takapuoli kattohirsiä kohti ja
nautin. En ole ennen saattanut kuvitella, kuinka
hauska tunnelma korsussa voi iltaisin olla. Kun
jotkut pelaavat korttia, jotkut kuuntelevat radiota,
toiset kirjoittelevat kirjeitä, on lämmintä ja muka-
vaa, hiipii joukkoon niin ihmeellinen tunne, jota ei
pysty sanoi kuvaamaan. Minut se saa hiljaiselle ja eh-
käpä hieman haaveellisellekin tuulelle. Olemme
huomenna olleet täällä jo viikon. Tänne on tullut
10 poikaa lisää, ja meitä on nyt 20 poikaa pienessä
korsussa. Kuin sillit tynnyrissä.

Seuraavana päivänä Norssin pojat siirrettiinkin maan
päälle. Saimme asuttavaksemme pontatuista laudoista
tehdyn ns. pioneeriteltan.

Olimme tuskin pinonneet vähät tavaramme kaappei-
hin, kun hälytys tuli. Odottelimme. Sitten alkoivat tykit
vinkua. Kun tätä oli jatkunut jonkin aikaa, komennet-
tiin meidät konekivääribunkkeriin, lähemmäs tykkejä,
ilmeisesti tottumaan jyskeeseen. Monet pelkäsivät tosis-

saan. Joku taisi työntää päänsä tyhjään ammuskaappiin, sirpaleiden vuoksi, kas. Vähitellen kranaatit alkoivat loppua tykeiltä ja meidät komennettiin kantamaan täydennystä ammuskellarista, kukkulan juurelta. Oli neuvottu laskemaan kranaatit olkapäiltä polvien varaan, jotteivät ne ilmanpaineesta putoaisi nalli edellä maahan. Alkuyöstä toteltiin määräystä jo valmistavan tulikomennon kaikuessa, mutta muutaman tunnin kuluttua vastaleivotut jermut odottivat merkiksi tykkien suuliekkiä, kyllä sitä sittenkin vielä ehtii. Jos nyt yleensä sattuu olemaan niin lähellä tykkiä.

Jouduin ammusvarastoon ja ruuvasin siellä sen yön sytyttimiä kranaatteihin, kaksikymmentä metriä graniittia pään yläpuolella.

Kranaatteja bunkkereihin.

Sinä yönä jatkui Helsingin kolmen suuren pommituksen sarja, jolla vihollinen luuli tuhonneensa kaupungin. Kaupunkia vastaan tehtiin neuvostoliittolaisten tietojen mukaan yhteensä 2 120 lentoa. Hyökkäykset alkoivat kuudentena helmikuuta ja uusiutuivat kymmenen päivän välein. Ne kestivät koko yön. Kun pommeja putosi kaupungin alueelle vain 799 sinne matkalla olleista noin 20 000:sta torjuntatoiminta onnistui 95 prosenttisesti. Suuri osa pommeista ohjattiin Vuosaaren pelloille sytyttämällä sinne »palavia rakennuksia» osoittamaan lentäjille kaupungin paikkaa. Torjuntavoittoa on sanottu kansainvälisestikin katsoen koko toisen maailmansodan menestyksekkäimmäksi ilmatorjuntataisteluksi.

Taivaskalliolle nouseva katu on ristitty komentajamme eversti Pekka Jokipaltion mukaan.

Tulikasteemme oli niin vaikuttava, että seuraavat taistelutoiminnat tuntuivat jo rutiinihommilta. Jotkut pojista pääsivät tykkien miehistöön tai saivat suunnittelutehtäviä tulenjohdon kehittämisessä.

Aamulla oli tietenkin käskynjako. Ylikersanttina oli SF:n järjestäjä Saarinen, mukava mies, joka piti kollegan puolta myös sodassa.

– Pöysti, sä ot terävä poika. Mes leikkaan mun kaneille heinää!

Oli niitä kaneja minullakin. Kun olin filmauslomilla niitä ruokki terävä poika Jaakko Uotila. Patterilta lähtiessä hän kirjoitti visakoivukantiseen vieraskirjaani kohtalaisen hyvällä latinalla: Noli mei, qui magno opere, sed minimo cibere »canimos» tuos alui, oblivisci! (Älä viitsi unohtaa minua, joka paljolla työllä mutta vähällä ruoalla ravitsin »kanejasi».) Toivomus on käynyt toteen.

Käskynjaon jälkeen meitä koulutettiin kolmen tunnin ajan. Lounaan jälkeen olimme vapaat. Tykkien päivittäinen jynssäys kuului tietenkin meille.

Muun ajan käytimmekin koulunkäyntiin, edellyttäen

että joku opettajaparoistamme oli tullut paikalle. Pommitetussa kaupungissa oli julkinen liikenne vähäistä. Opettajat joutuivat liftaamaan armeijan kuorma-autoissa joskus istuen pelokkaina kranaattilaatikoilla. Opetusta pystyttiin tietenkin antamaan vain muutamissa aineissa, pääosa työstä tapahtui itseopiskeluna jonka tulokset tentittiin. Saimme paljon anteeksi.

Tarkoitus kyllä oli, että me sotilaspojat saisimme patterilla ollessamme alokaskoulutuksen ja että meitä vähän marssitettaisiin ja höykyytettäisiin niin kuin katsottiin asiaan kuuluvan. Tätä tarkoitusta varten hankittiin paikalle alikessu, jonka nimenomaisena tehtävänä oli kouluttaa meitä – ja mielellään isän kädestä.

Eräs pojista, Kurre Dahl, oli uskomaton vitsien taitaja. Hän osasi niitä ulkoa rajattoman määrän. Rasvaisia ja vähemmän rasvaisia nokkelia ja sitten niitä typeriä.

Hyvin varhain tajusimme, että kotikessumme piti kovasti vitseistä. Järjestettiin niin, että aina kun suljetun piti alkaa, Kurre kuiskasi jonkun jutun – ja me sitten kamalasti yritimme »pidättää nauruamme».

Alikessun silmät välähtivät heti kateudesta.

Hän taisteli lyhyen taistelun itsensä kanssa – ja hävisi tietysti.

– Mitäs se Dahl siellä sopottaa?

– Herra alikersantti, minulla oli vain aivan lyhyt juttu, joka . . .

Uusi taistelu kokardin takana – ja uusi tappio.

– No, mikäs se sellainen juttu on, joka niin naurattaa . . .?

Kurre kertoi, ja riemu raikui alipäällystön keuhkoissa.

Kolmas, vielä verisempi taistelu. Se päättyi antautumiseen.

– Voitaishan me aluksi istua hetki vaikka tuohon rinteeseen, ja annettais tuon Kurren kertoa joku oikein mehevä juttu . . .

Ja Kurre kertoi. Hän vaihteli teemoja ja mehevyyden astetta, ettei kiinnostus päässyt kalpenemaan. Jokainen vitsi vaati jatkokseen uuden, kuin ravunhäntä ryypyn.

Jos sotilasfarsseja ei oteta lukuun, olen osallistunut suljettuun harjoitukseen elämässäni yhden ainoan tunnin ajan. Kiitos Kurre Dahlin.

Sota poikii sotaa, sota syö vihaa. En voi muulla tavalla selittää sitä, että välit kahden koulun oppilaiden välillä, korsun ja pioneeriteltan asukkaiden kesken, saivat niin väkivaltaisia muotoja. Mehän pidimme toisistamme, eikä riitaan ollut minkäänlaista aihetta. Vain se, että he olivat toisesta koulusta kuin me.

Meistä se kai lähti. Suljimme heidän korsunsa oven painavalla pöllillä, asetimme vahdit ainoaan ikkunaan ja sitten tukimme korsun savupiipun märillä ruohoilla. Tarkoitus oli käristää heidät omaan savuunsa. Nautinto oli suuri korsun katolla, kun savua ei enää tuprunnut, vaan kaikki jäi sinne minne pitikin. Kun tilanne tuli heille kestämättömäksi he ryntäsivät väkivalloin ulos ikkunasta. Me peräännyimme honteloon lautateltaamme. Vihollinen seurasi kannoilla.

He nostivat riu'ulla meidän kattoamme sen verran, että saivat paloruiskun suuttimen sen sisäpuolelle. Nyt olivat meidän radiomme ja heilojen kuvat seinillä vaarassa. Tilanne ei lauennut ennen kuin joku meidän puoleltamme ampui katon läpi kiväärillä varoituslaukauksen. Se oli tietysti yliammuttua.

Vihanpito jatkui niin, että jo ruokailussa sovittiin että tavataan illalla bunkkereiden välissä. Sinne mentiin kypärät päässä heittelemään toisiamme kivillä. Typerää!

Typerää oli sekin, että ammuin pienoiskiväärilläni itse tekemääni hyvin kaunista neuvostoliittolaisen vesilentokoneen pienoismallia, kunnes siitä jäi vain pieniä tikkuja jäljelle. Tapahtuma tulee joskus mieleeni, enkä voi löytää sille minkäänlaista motiivia.

Onneksi ei kenellekään tapahtunut vahinkoja.

Koulunkäynti patterin oloissa muodostui minulle ongelmaksi. Koulussa olin siirtynyt semiklassiselle linjalle jossa latinan kurssi oli lyhyempi kuin varsinaisen klassisen lyseon oppilailla. He olivat päntänneet latinaa alusta asti. Patterilla oli kuitenkin mahdollista antaa opetusta vain joko pitkää latinaa tai pitkää matematiikkaa lukeneille. En kuulunut kumpaankaan ryhmään.

Kun kerran suo oli siellä ja täällä vetelä, oli minulla valta valita se joka miellytti enemmän, ajattelin. Menin mukaan kun latinisteilla oli kirjoitus ja sain nelosen. Se oli enemmän kuin olin uskaltanut toivoa. Ilmiselvä todistus jonkinasteisesta osaamisesta!

Lehtori Esko Roope Joki, joka ei tulisi olemaan opettajani koulussa, suostui antamaan aputunteja. Hän oli loistava opettaja ja sen lisäksi kaveri. Päätin keskittyä latinaan.

23.6.44.

Makaan petilläni pullean vattani päällä, olen nimittäin juuri syönyt itteni puolikuoliaaksi ja olen -ttumaisella tuulella. Sapettaa viettää Juhannusta patterilla, kun vettä näkyy 5:n kilometrin päässä ja ainoa, mitä voit tehdä, on nukkua. Kämpän kivimmät kaverit ovat lomalla ja muut nukkuvat – kello on 20.30 ja on Juhannusaatto, jolloin tavallisesti on valvottu koko yö. Eipä silti – aikaiseen aion minäkin mennä yöpuulle tänä iltana, olin nimittäin lomalla viime yönä kaupungissa ja tuli tietysti valvottua. Olen siksi aika väsynyt minäkin. Muistuvat mieleen Juhannukset Haavuksessa ennen vanhaan. – Haavuksessa, joka nyt on vailla isäntää. Mamma oli siellä erään työpalvelutytön kanssa pari viikkoa, sai paikat kuntoon ja siemenet maahan; silloin tuli Kannaksen hyökkäys ja Haavus tyhjeni ihmisistä. Taas se odottaa meitä. Vielä se on meidän, mutta miten kauan? Verkot, ja suurimman osan tärkeimmistä ja arvokkaimmista tavaroista sai mamma mukaansa, t.s. lähetti tulemaan rautateitse, mutta Elisenvaaraa on kuulemma pommitettu, joten on mahdollista, että nuo kamat ovat lentäneet nuuskaksi. Muistan, millaisia olivat Juhannukset ennen vanhaan Haavuksessa. Silloin paloivat kokot, meitä oli kymmenittäin liikkeellä, ja Liikeväen huvilalla paloi suuri kokko. Sellainen on minun käsitykseni Juhannuksesta. Senkin minä voin sulattaa, että kokkotulet puuttuvat, mutta se, etten saa olla veden äärellä ja soutelemassa, se on jo liikaa.

Elokuvan mahti ulottui myös Suomen armeijan yli. Oli helppoa saada lomaa uuden Suomis-elokuvan filmausta varten. Sen nimi oli Suomisen Olli rakastuu. Nyt oli osa vaativampi. Esitettävänä ei ollut vain rehti pojannulkki vaan nuorukainen, jolla oli ristiriitaisia tunteita. Ja ristiriitahan poikii uusia ristiriitoja ympäristön kanssa. Ties vaikka osa olisi ollut ensimmäinen monipohjainen draamallinen tehtäväni.

Olli on joutunut murrosikään ja rakastuu ikäiseensä hauskannäköiseen tyttöön sekä koulunsa laulunopettajaan. Siitä syntyi ihan mahdollinen ja myös todentuntuinen juoni. Osa ei ollut helppo. Katto saattaisi tulla hyvinkin lähelle päälakea.

Kaikki sujui kuitenkin kevyesti. Uuden rakastumisen avulla. Tällä kertaa oli kohteena, kuin Särkän tilauksesta, laulunopettajaa esittävä Ansa Ikonen.

26.8.44.
Filmaan nykyisin »Suomisen Olli Rakastuu» nimistä filmiä. Minulla on loistava rooli, joka on minulle aivan liiankin hyvä. Olli pihkaantuu samalla kertaa erääseen friiduun, että laulunopettajaansa. Jälkimmäistä näyttelee Ansa Ikonen, suurenmoinen ihminen. Olen elänyt ne päivät, jolloin olen saanut näytellä häntä vastaan aivan omituisen ihastuksen huumassa. Minut on lumonnut hänen toverillinen

Ansa Ikonen

suhtautumisensa minuun. Hän, joka on Suomen suurin naistähti, antaa minulle luvan sinutella itseään ensimmäisenä iltana, jolloin filmasimme. Hän keskusteleekin minun kanssani kaikenlaisesta, suomalaisesta filmistä, hänen suunnitelmistaan ja urastaan, minun tulevaisuudestani, hänen perhees-tään ja minun omaisistani, suoraan sanoen kaikesta mahdollisesta. On ollut ilahduttavaa huomata, että maamme näyttelijäpiireissä on sellainen persoonal-

143

lisuus kuin Hän. Mm. hän puhui minulle meikäläisistä »boheemipiireistä» ja sanoi, että niiden joukossa on harvoja, joiden moraalinen elämä on edes siedettävä. Eikö tuo jo todista, että meidän välillämme on kerrassaan läheinen ystävyys. Se, mikä minua tässä asiassa surettaa, on se, että hän on niin vanha. Minä ymmärrän, miltä tuntuu ennen Suomen ensimmäisestä näyttelijättärestä huomata vanhenevansa. Hän puhuu siitä itse nauraen, mutta luonnollisesti Hän kärsii siitä suunnattomasti. Antaisin kymmenen vuotta elämästäni, jos ne nyt voitaisiin vähentää hänen iästään.

Syyskuun lopussa 1944 pääsimme siviiliin. Päätökseksi järjestettiin vielä täydennyskurssi kouluaineissa, jonka jälkeen meidän katsottiin suorittaneen toiseksi viimeisen luokan oppimäärä. Tie abiturusluokalle oli avoin.

Eikä siinä kyllin. Nyt tehtiin myös laki, jonka mukaan katsottiin että olimme suorittaneet asepalveluksemme, jopa rintamasotilaina. Varsinaiseen kutsuntaan joutuminen rajoittui pelkkään lääkärintarkastukseen, siinä kaikki. Myöhemmin olemme saaneet jopa oikeuden kantaa hopeista lehvää takinkäänteessä ansioista Käpylän rintamalla.

Ehkäpä olimme Suomen armeijan onnekkain ryhmä, mitä sotien vuoksi menetettyyn aikaan tulee.

– Jaaha. Ja aijot pärjätä? sanoi rehtori, kun kävin ilmoittamassa siirtymisestäni reaalilyseosta klassiseen.

Nyt olin samalla luokalla kavereitten kanssa.

Koulusta oli seinä poissa. Eräs seinätön luokka oli meidän luokkaamme vastapäätä, eikä sen ovea koskaan suljettu. Lattiasta oli jäljellä pari metriä. Siitä tuli meille tupakkaparveke ja keskustelukerho. Myös juhlasali oli kärsinyt vahinkoja, joten flyygeli työnnettiin meille. Meidän luokallamme olivat sekä Kauko Kuosma että

Suomisen Olli
rakastuu. Lasse
Pöysti ja Ansa
Ikonen.

Erkki Melakoski, toinen klassisen, toinen kevyen musii-
kin tähti Helsingin koulumaailmassa. Ajat olivat epä-
säännölliset, tyhjiä tunteja siellä täällä. Rehtori Holm-
ström tuli joskus ovelle ja pyysi meitä soittamaan vähän
hiljemmin, hänellä kun oli tunti seinän takana. Me
tottelimme .

Koulunkäynti tuntui kummalta. Olimme tottuneet
siihen, että kaikki tapahtui jotenkin poikkeavalla taval-
la, joten opinnoistakin arveltiin selvittävän enemmän
tuurilla kuin ahkeruudella. Pahaksi onneksi loistava
latinaa opettava yliopettaja Lehmuskoski sairastui, ja
tunteja tuli hoitamaan lyhytkasvuinen Napoleonin
näköinen auskultantti. Otimme hänet heti ensi tunnil-
la puhutteluun.

– Maisteri, nyt olisi kai viisainta, että järjestetään
tämä toiminta niin, että kaikilla on mukavaa. Me
ehdotamme että ne, jotka haluavat opiskella latinaa,
vetävät pulpettinsa ihan sinne kateederiin kiinni niin
ei maisterinkaan tarvitse korottaa ääntään, vaan te
voitte tutkia yhdessä kaikessa rauhassa. Ne taas jotka

145

Oma kirjoituspöy-
tä, omat kirjat, Inga
Tidblad, kivääri,
latinan sanakirja ja
viimeiset läksyt.

mieluummin pelaavat korttia vetäytyvät tuonne luokan takaosaan ja pitävät siellä ihan pientä ääntä. Näin ei synny skismoja, eikö niin.

Bonaparte antautui. Luokassa vallitsivat latinantunteina rinta rinnan viihtymys ja keskittynyt harrastus.

En tosiaan muista kummassa ryhmässä olin. Ilman muuta minun olisi ehdottomasti pitänyt olla mahdollisimman lähellä kateederia.

Linnarauhaa jatkui siihen päivään asti, kunnes Lehmuskoski parani ja ilmestyi luokan eteen. Muutamalla knoppikysymyksellä hän selvitti itselleen opintojen tason.

– Jaha, hän sanoi hiljaisella äänellään. Ne jotka eivät sitten pärjää tentissä, eivät kirjoita.

Hän jatkoi rauhallisesti opetusta. Me tajusimme elokuvissakäyntien vakavasti harvenneen.

Iltaisin kävin lehtori Joen kotona latinantunneilla. Tunnin päätyttyä hänellä oli tapana kysyä, olisiko minulla hetki aikaa. Hän veti pöytälaatikosta vihon Plautuksen komedioita ja käänsi minulle muutamia meheviä kohtia. Teatterilainen kun olin.

Yleensä tapahtumien taustalla oli taloja joissa monta ovea. Yksi johti tietenkin bordelliin.

Kaksi orjaa tapaa toisensa etunäyttämöllä.

– Mistäs tulet?

Toinen vetää esiin tunikan helman.

– Haistas tuosta!

X

Filmaustyö jatkui koulun alettua. Pääni meni lopullisesti sekaisin kun Ansa kertoi maskeerausaamuna Kansakoulukujan studiossa odottavansa lasta ja että minä olin ensimmäinen, joka siitä sain tiedon. Intiimiys oli nyt täydellistä.

Kun näin Jalmari Rinteen, katselin häntä hallitun vakavana ja ajattelin: Tietääköhän tuo jo?

Ajan mittaan syntyi Marjatta. Hänet tavatessani minun täytyy yhä puistella päätä, että muistaisin, ettei minulla oikeastaan ole häneen osaa eikä arpaa.

Ansa heilautti myös suunnitelmia tulevaisuuden suhteen. Tästä alkaen ne muuttuivat yhä kryptisemmiksi ja valheellisemmiksi.

Ansa kehotti minua ryhtymään näyttelijäksi, ja oikeastaan sillä alalla viittovat monet edut. Ensinnäkin pääsen ryhtymään työhön heti, minulla on jo ehkä jonkunlainen nimi, voin päästä hyville palkoille ja voin opiskella. Filmaustyö ei suinkaan vie koko vuotta, joten aikaa minulla on. Samalla saan olla lähellä maamme taide-elämää, josta olen hissukseen oppinut pitämään. Pystyn kai jonkinverran käyttämään kynääkin, voin ehkä sepustaa kokoon käsikirjoituksia, ehkä joskus pääsen kameran taaksekin ja minulla siis on edistysmahdollisuuksia. Sitten, kun saan hankituksi itselleni kunnon papereita, voin hylätä tämän alan ja ryhtyä kunnon työhön.

Ja aina vaan sekavampaa! Heinäsuovat alkoivat muotoutua vasemmalle ja oikealle, ja korviin rupesi kasvamaan pituutta.

5.11.44.

Makaan nyt sängyssäni vattallani. Radiosta kuuluu ihanaa kuorolaulua. Voiko olla suurempaa nautintoa kuin pehmeä sänky ja kaunis musiikki yhdessä. Ajatukseni askartelevat nykyisin alati tulevaisuuteni parissa. Ehkä juuri siksi, että minä aina ajattelen sitä, minut joskus löydetään kaivelemasta roskatynnyriä tuolla Hermannin ja Toukolan välimailla. Kaikki tuntuu minusta nyt niin yksinkertaiselta ja selvältä, mutta ehkä minä juuri siksi pelkäänkin niin armottomasti ettei kaikki tule menemään »suunnitelmien mukaisesti». Ehkä ylioppilaskirjoitukset jo keväällä ovat ensimmäinen kompastuskivi. Olen tuumaillut seuraavasti: Jos ja kun ensi keväänä pääsen ylioppilaaksi rupean lukemaan yliopistossa estetiikkaa. Koetan hankkia siinä maisterin paperit. Sittenhän olisi edes jotakin. Samalla opiskelisin siinä sivussa kieliä, vain oppiakseni puhumaan niitä. Koettaisin jatkaa teatterin polulla, (mikäli sitten vielä kelpaan) niin pitkälle kuin pääsen. Jos voisin jatkaa samaa tahtia kuin tähän asti, toisi se merkittävän leivänlisän ja peittäisi suuren osan lukumenoista. Kun pääsisin pitemmälle luvuissani, voisin jo uskaltaa kameran taaksekin ja aina paremmat tulomahdollisuudet koittaisivat. Näin voisin saada tuloni turvatuksi filmin avulla ja voisin rauhassa lukea ensin estetiikkaa, sitten filosofiaa ja teologiaa. Mahdollisesti perustuvat nämä suunnitelmat suuresti suuruudenhulluihin ajatuksiin ja omien voimien yliarvioimiseen, mutta koetan nyt pitää näistä kiinni.

149

Katsos, ajattelenpa mitä muuta alaa tahassa, eivät ne
herätä minussa vähäisintäkään kiinnostusta. Suo-
men teatteri, korjaan, filmitaide on niin alhaisella
tasolla, että sen kohottamiseen pystyy heikkokin
voima. Oi, jospa minä voisin kartuttaa voimiani niin
suuriksi, silloin olisi toimeentuloni turvattu ja mah-
dollisuudet lukuihin aukenisivat. Siis, näissä mer-
keissä tällä kertaa, hyvää yötä!

Ja sitten kiemurteleva suora tie pudottaa rotkoon.

14.12.44.
Olin tänään SF:n koeteatterissa katsomassa uutta
Suomisen Perhettä: S:n Olli rakastuu. Sen ensiesitys
on sunnuntaina. En valitettavasti pääse sitä katso-
maan premiääriin, koska matkustan huomenna
Jyväskylään viikonlopuksi esiintymään. No niin! Se
esitys! Istuin kuin tulisilla hiilillä. Joka ainoa kuva
oli hirvittävä. Pääni muoto, silmät, tukka, hampaat,
rypyt otsassa, jotka näyttävät kulkevan joka suuntaan
eikä oikein minnekään, repliikkien lausuminen,
liikkeet, kaikki oli mautonta, kömpelöä ja luonno-
tonta. Ja samassa huoneessa istui Särkkä, Elsa Soini,
»Serp», Saarikivi ja monta muuta. Kun se loppui,
koetin painautua niin syvälle ja näkymättömiin kuin
mahdollista. Sapetti ja hävetti. Potutti koko filmiin
tulo. Ja sitten ne alkoivat: »Kyllä S.P:lle voi asettaa
yhteiskunnallisia probleemojakin purtavaksi, kun
näkee, että Olli pystyy tuollaiseen. Jos Suomi olisi
suurempi ja huomatumpi, niin kyllä Olli olisi jo
Hollywoodissa. No, kunhan nyt ensin nämä Suomen
rajat tulevat sinulle liian pieniksi, niin – maailma on
lavea. Loistava! Erinomainen! Mitenkäs sinä tänne
filmiin tulit? Jaa, jaa! Juu, juu! Onkos se elämänura
valittu? Rupea sinä vaan lukemaan! Voi sitä filmitäh-
ti olla vaikka tohtori.» – ja niin päin pois. Meinasin
huutaa niille että H.P. – Sanotaanhan sitä ettei

kukaan ole koskaan tyytyväinen suorituksiinsa fil-
missä, mutta kyllä Helsingin filmiarvostelijat ovat
pässejä kaikki tyyni, jos minä tästä hyvät arvostelut
saan. Uskotko että on kurjaa huomata suuren työn
jälkeen, että tulokset ovat kehnot. Ja kun sen saa
vielä alkuviikosta lukea lehdistä! Ja kun juuri on
perustanut osaksi tulevaisuutensa tälle alalle! No,
se siitä.

Arvostelijat olivat sitten pässejä, kaikki tyyni.
*Suomisen Perhe oli kansan lempilapsi. Se sai viedä valtaosan
jopa sen jouluaatosta.*

24.12.44.
Olin juuri radiossa. Suomisen perhe vietti Jouluaan
puolentoista tunnin ajan mikrofonin ääressä. Stu-
dioon oli tuotu joulukuusi ja pitkä pöytä täynnä hy-
vää. Oli kahvia ja muuta juotavaa, ihania voileipiä
ja pikkuleipiä ja kaiken kukkuraksi karamelleja.
Kaikki olivat juhlapuvuissa. Oli oikein joulutunnel-
ma. Laulettiin joululauluja, pyörittiin piiriä mikro-
fonin ympärillä, syötiin välillä hyvää, ja puhuttiin
taas mikrofoniin. Sitten, tultuani kotiin, kuulen
Iriksen olevan kihloissa. Sulhanen oli soittanut.
Tyttöparka oli ihan poissa nahoistaan. Mutta mam-
ma oli keittiössä silmät punaisina ja pappa murjotti
salissa radion ääressä. Olipahan löytynyt riidanaihe
täksikin jouluksi. Niin on ollut monena muunakin
juhlapäivänä.

Voi, isä! Olisipa sinulla ollut varaa juoda samaa kuin
pojallasi.
Kevät kului pontevasti opiskellen. Jaakko Uotilan
kanssa revimme latinan verbiluettelon irti kirjasta ja
vietimme kauniita kevätpäiviä pölleillä joille Kaivopuis-
toa kiertävää kävelytietä rakennettiin. Kruununvuoren-
selkä oli jäätön, jokainen päivä lisäsi auringonpaistetta.

Vuorotellen kuulustelemalla saimme verbejäkin toistemme päihin.

Kevään suuri tapaus koulumaailmassa oli Tyttönorssin konventti huhtikuun neljäntenätoista. Niitä järjestettiin joka kolmas vuosi. Eräs tyttö kutsui minut.

Järjestelyt noudattivat lähinnä kuningatar Viktorian makua. Tytöt saivat luvan onkia valituilta kavaljeereiltaan henkilötiedot, joiden perusteella opettajat sitten hyväksyivät tai hylkäsivät. Edellisessä tapauksessa pojille annettiin käyttäytymisohjeita. Puhdasta nenäliinaa ei sopinut unohtaa.

Illalla olivat sitten pojat smokeissa. Tytöt pitkissä. Tanssittiin paljon, myös mignonia. Vanhat tanssit olivat muotia. Niissä asteltiin ylevästi, kumarrettiin ja pidettiin daamia kevyesti sormenpäistä. Se oli mieleen naisopettajille, jotka istuivat juhlasalin parvella ja valvoivat, ettei nuoriso päässyt villiintymään.

Suuren vaikutuksen teki kouluun järjestetty tupakkasalonki, huone jossa sai polttaa! Kun sellaista tapahtui Tyttönorssissa, jolla oli konservatiivisista konservatiivisin maine, se vaikutti vallankumoukselta.

Mutta karriääri pakkasi päälle.

2.3.45.

Kävin muuten Särkän luona toissa päivänä. Hän oli kutsunut minut käymään luonansa. Ukolla oli aikomus saada uuden Suomisen perheen premiääri vielä täksi näytäntökaudeksi, mutta muutti suunnitelmiaan, kun vakuutin, etten voi lukea viimeisen kevään lukuja filmauksen ohella. Ja se on kuulemma ainakin yhtä suuri osa kuin tässä edellisessäkin.
– Särkkä pyysi minua raahaamaan tyttötuttaviani koefilmaukseen ja olenkin jo sopinut alustavasti Osmalan Sirkan sellaisesta sekä Saarikiven että Sirkan kanssa. Hänellä on taipumuksia, suht hauskan näköinen ja innostunut tähän työhön oikein taiteen vuoksi. Uskoisin hänen läpäisevän.

Ponnisteluista huolimatta ei SF ollut onnistunut löytämään Ollille kilttiä tyttöä. Käännyttiin siis minun puoleeni.

Samaan aikaan raottui portti uusille taiteen kentille.

8.3.45.

Taas on tapahtunut merkittävää. Olin eilen katsomassa Hamletia. Tapasin siellä Yrjö Tuomisen, joka pyysi minua soittamaan Kansallisteatterin toiselle johtajalle, Pekka Alpolle. Hän arveli minua pyydettävän sinne. Soitin tänään ja kävi niinkuin »pappa» oli arvellut. Alpo sanoi, että oli joku aika sitten ollut puheena Kansallisessa ottaa sen henkilökuntaan joku nuori poika ja oli ajateltu minua. Hän kysyi, jos minä aioin ruveta näyttelijäksi. Minä sanoin aikomuksenani olevan ryhtyä lukemaan ensi syksynä ja filmata ja näytellä teatterissa sikäli kuin joudan. Hän pyysi minua soittamaan uudelleen parin päivän kuluttua. Hänellä tuntui olevan kiire. Sain joka tapauksessa sen käsityksen, kuin aikomuksena olisi ollut kiinnittää minut vakinaiseksi teatterin henkilökuntaan. Toisin sanoen minulle olisi auennut jo nyt paikka. Selostin hänelle myös olevani suuressa kiitollisuudenvelassa Ruotsalaiselle Teatterille, joka on minua hoivannut näiden vuosien aikana. Hän sanoi ymmärtävänsä sen. Jos he haluavat ottaa minut samalla lailla kuin olen ollut tähän asti Ruotsalaisessa Teatterissa, menen putkena. Ensinnäkin pidän suurena kunniana itselleni, että pääsen sinne, ja toiseksi voin sillä osoittaa, etten ole hurri. Monet ovat minulta tähän mennessä kysyneet, miksi olen näytellyt Ruotsalaisessa, enkä suomalaisessa teatterissa, ja tähän asti olen voinut vastata, ettei minua ole pyydetty, nyt on toisin. Asia ratkennee puoleen tai toiseen lähipäivinä.

Syntyi kompromissiratkaisu: menin kansalliseen iltanäyttelijäksi.

10.3.45.

Ajattelin tässä, että jos olisin vastaanottanut tuon paikan, olisivat minun vuosituloni kohonneet n. sataantuhanteen, kun ottaa huomioon, että filmistä olisin mahdollisesti saanut n. viisikymmentä ja radiosta viisitoistatuhatta. Olisin sillä elättänyt vaikka perheen.

Joka tapauksessa alea est iacta, minusta ei tule ammattinäyttelijää.

Näin jälkeenpäin lukee totisia arviointeja ekonomiasta hymyillen. Tosiasiassa en saanut sen hoitamisesta minkäänlaista otetta. Rahaa oli ruvennut tulemaan runsaasti kovin nuorella iällä ja tulot vaan kasvoivat ponnistelematta vuosi vuodelta.

James Tyron puhuu näyttelijänurastaan Pitkän päivän matkassa yöhön suunnilleen näin: Totuin liian helppoon rahantuloon. Se tuhosi elämäni. Menetin sen suuren lahjakkuuden, joka minulla oli ollut. . .

Minun tapauksessani kävi niin, että raha menetti tyystin arvonsa. Sen arvo palautui aina kun siitä myöhemmin oli hiertävä puute, mutta tilanteen korjauduttua siitä tuli taas pelkkä maksuväline.

Hyvä niin – vaikka ei erikoisen järkevää ajan mittaan.

Suuri osa rahasta meni ihan hyvään tarkoitukseen.

Isän palkka ei ollut suuri, ja tyhjään kotiin tarvittiin huonekaluja.

Osa taas hävisi merkillisiä teitä.

Kouluaikana oli eräs henkilö, jota pidän suuressa arvossa. Hänen taloutensa oli kuitenkin kovin keinahteleva eikä hänelle kai koskaan onnistunut sen rauhoittaminen. Hän kertoi olevansa vaikeuksissa ja pyysi lainaksi kahtatuhatta markkaa. Kai hän arveli minulla olevan varaa, olinhan ahkerasti esiintynyt siellä ja täällä. Sanoin asian järjestyvän helposti. Olin seuraavana päivänä menossa nostamaan seitsemäätuhatta markkaa. Ahdingossa oleva mietti hetken ja kysyi sitten, voisinko ehkä lainata kaikki seitsemäntuhatta, viisi niistä tulisi takaisin seuraavalla viikolla.

– Tottakai, se kyllä järjestyy.

Hän oikein vaati saada kirjoittaa paperin, jossa hän suostui maksamaan summan takaisin vaadittaessa.

En minä sitten koskaan vaatinut.

Paperi on kyllä tallella. Se on päivätty 20.11.44. Rahat olivat koko palkkioni filmistä Suomisen Olli rakastuu. Tiedän ihan varmaan, etten ole koskaan katunut kauppaa, eikä se myöskään haitannut jatkossa yhteistyötämme.

Myöhemmin taisin maksaa parin kuukauden ajan suurin piirtein Intimiteatterin palkat, minulla kun sattui olemaan rahaa, Intimillä ei.

Birgitta Ulfsson on yrittänyt myöhemmin selittää päätöntä suhdettani rahaan sillä, että kahden kodin menettäminen Karjalassa vei uskon mammonan arvoon ja pysyvyyteen.

Niin hän nyt arvelee.

8.3.45.
Kävin tänään Sirkan kanssa Saarikiven puheilla.
Hän sai joitakin pätkiä viime filmistä luettavaksi koefilmausta varten, joka tullaan järjestämään ensi viikon alussa. Mahdollisesti saan hommattua Upille ja ehkä jollekin muullekin Osmerukselle osan ensi filmissä. Upille se tekisi hyvää taloudellisesti.

Sirkka pärjäsi koefilmaukssessa. Kiltti tyttö oli löytynyt.

Vain välttämättömät talvikuvat tehtiin abituruskeväänä. Varsinainen filmaus alkoi vasta ylioppilaskirjoitusten jälkeen, toukokuun puolivälissä, Suomen uljaassa Hollywoodissa, SF:n uusilla Liisankadun halleilla.

Suomen Filmiteollisuuden tuotantolaitokset olivat sijainneet hajallaan eri puolella kaupunkia. Yksi studio oli Haagassa, toinen Kansakoulukujalla, suurin Fredrikinkadulla siinä, missä nyt on Autotalo. Nyt kerättiin kaikki kahteen vierekkäiseen halliin Liisankadulle.

Kunnollinen studio oli siihen aikaan välttämättömyys elokuvan tekemisessä. Filmimateriaali oli hidasta ja vaati paljon valoa. Valaistuskalusto oli raskasta. Ääni pelkästään vaati ulkokuvaukseen mentäessä oman autonsa. Kätevintä oli rakentaa omat lavasteet studioon ja niiden ympärille telineet lamppuja varten. Valoa riitti ja sitä sai sieltä mistä tarvitsi.

Suomisen Olli yllättää oli purkissa heinäkuun alussa.

Tarkka lähikuva. Suomisen Olli yllättää. Kameran takana Orvo Saarikivi.

Ollin tuhma ja kiltti tyttö. Regina Heinonen ja Sirkka Osmala.

13.7.45.

. . . olen raatanut itseni väsyksiin asti suurimman filmiroolini kimpussa ja pari päivää sitten saanut sen valmiiksi, olen ollut ensi kertaa mukana filmin valmistumista juhlimassa (loistopäivälliset nekin), olen ollut maamme kahden päänäyttämön riitakapulana ja ratkaissut siitä muodostuneen »kriisin» luultavasti kaikkia tyydyttävällä tavalla, olen sen kautta päässyt Kansallisteatteriin, mutta ennen kaikkea kokenut voimakkaan herätyksen näyttelijän ammatin ja yleensä näyttämötaiteen suhteen.

Suhde isään oli aina ollut yhtä kaukainen kuin suhde äitiin läheinen. Olin odottanut, että yölliset kävelymme sodan aikana korttelivahteina – valkeat nauhat käsivarressa ja vihellyspilli taskussa – olisivat rakentaneet siltoja välillemme. Uusia aiheita sivuttiinkin mutta suoraa kontaktia ei syntynyt. Minun monisanainen lörpöttelyni ehkä sulki isän. Kun huomasin sen sulkeuduin itsekin.

En oikein tiedä, mitä ajatuksia hänessä synnytti minun rento sulautumiseni taiteilijoiden maailmaan. Isän romanttinen ja pohdiskeleva persoona olisi ollut siellä kotonaan. Mieleen jäi keskustelu jossa laveasti kuvailin, miten en saattaisi kuvitella olevani jatkuvasti

157

jonkun alaisena, tehdä samaa määrättyä työtä päivästä toiseen.

– Kuin kone, lisäsi isä.

Isän työpäivän kuluessa siirtyi pöydän vasemmassa päässä ollut pino ihmisten veroilmoituksia oikeanpuoleiseen päähän.

Isän eskapismi oli englannin opiskelu. Hän harrasti sitä ahkerasti mutta tehottomasti. Kirjekurssin avulla. Vuosien mittaan täyttyi satamäärin ruudullisia sivuja harjoitusteksteistä. Tiiviillä käsialalla, joskus paperin säästämiseksi jopa ristiin entisen kirjoituksen päälle kirjoitettuina. Tähän kuluivat isän illat.

Hän ei, puheharjoituksia vailla kun oli, koskaan oppinut sanomaan ainuttakaan englannin lausetta.

Kerroin isästä myöhemmin Claes Anderssonille, joka sijoitti tarinan näytelmään Perhe. Esitin itse isää. Katsomon seinät kajahtelivat naurusta.

Tentit menivät vähän huonosti. Koulusta kuitenkin päästiin irti. En uskonut pärjääväni kirjoituksissa. Latina tuntui ylivoimaiselta.

Mutt' huolt' ei tunnettu ollenkaan vaikkei viiksiäkään saatu kasvamaan!

16.7.45.

Miksi en ole riviäkään kirjoittanut, vaikka koko ajan olen tuntenut eläväni onnellisimpia viikkojani koko elämäni aikana. Ei ole löytynyt niin suurta huolta, joka olisi pystynyt mieltä painamaan. Kaikki, koko maailma tuntuu olevan useita metrejä alempana, ja lisäksi ikäänkuin pumpulin tai pilven peitossa, niin että kaikki ikävät yksityiskohdat ja pikkuseikat häviävät. Tällaiseltako tuntuu, kun ihminen on niin onnellinen, ettei mikään pysty painamaan mieltä!

Selvisin latinasta yhden pisteen marginaalilla, mutta se riitti leipomaan klassikon, isän ja minun iloksi.

Lakkiaisia olivat katsomassa sekä ohjaaja Orvo Saari-
kivi että kuvaaja Armas Hirvonen. He tulivat varmaan
onnittelemaan, mutta samalla katsomaan miten sellai-
nen homma tehdään sitten filmissä. Ollin ja minun
elämäthän kulkivat kauan käsikädessä.

Niin kuin Olli kerran Sortavalan kadulla.

Uudet ylioppilaat veivät ruusunsa sankarihaudoille.
Norssit tietysti marssivat omana joukkonaan, eivät yh-
dessä muiden kanssa, kuinkas muuten.

SF toi ylioppilaslahjaksi visapuisen laatikon, jonka
kannessa oli SF-merkki ja hopeinen laatta. Laatikossa
oli savukkeita. Nykyisin, kun olen päässyt tupakasta,
siinä pidetään neuloja ja lankoja, nappeja ja pieniä
hakasia.

Jaakko Uotilan
kanssa ylioppilas-
kuvassa.

159

16.7.45.

Pappa piti minulle puheen, jossa hän kaikessa hyväntahtoisuudessaan eksyi aika pahasti asiasta ja rupesi puhumaan omista haluistaan lääkäriksi ja kuinka hän on kyllä nytkin kerännyt eräänlaista lääkärikirjaa jne.

Ylioppilashipat Kaivohuoneella olivat juuri niin topeliaanisen Vincent Vågbrytaremaiset kuin uskalsi odottaa. Toivotut tytöt istuivat kuin enkelten pudottamina viereisessä pöydässä ja siirtyivät heti meidän seuraamme.

Oli tarkoitus, että pitäisin puheen yliopistolle, mutta kun ilmeni että tervehdyspuhettakin oli mahdoton saada kuuluville, päätettiin kaikki puheet jättää pois. Se sopi minulle hyvin. Olin tosiaan valmistautunut kehnosti.

Tytöt eivät juoneet juuri mitään. Me tietenkin tilasimme kaikki heillekin kuuluvat omaa kulutustamme varten.

Ensi kerran huomasin, että muutamien ryyppyjen jälkeen ylähuuleni turtui kuin hammaskuoletuksen saaneena. Se oli selvä ja hyvin käytännöllinen merkki siitä, että nyt sopisi jatkaa vaikkapa vichy-vedellä. Systeemi oli vieläpä kaksinkertainen! Jos ei totellut, vaan jatkoi varoituksesta huolimatta vahvoilla nesteillä, turtui myös alahuuli. Silloin oli jo asiallista tarttua itseään niskasta.

Ah, olisinpa säilyttänyt tuon äidiltä perimäni herkän hälytyskoneiston. Paljon turhaa olisi jäänyt tapahtumatta. Monta salaisuutta olisi säilynyt pelkästään asiaan kuuluvissa korvissa. Mutta huulet ovat jo kauan sitten auttamattomasti lakanneet reagoimasta – tässä mielessä!

Kaivohuoneella valkolakkiset kutripäät hellästi estivät meitä kaatamasta ylioppilasriemuamme kokonaan kurkusta alas.

16.7.45.

Kun »Pumppuhuoneella» sitten tuli kuumaa ja
musiikki oli rämisevää, ehdotimme seurallemme,
että menisimme koko pumppu Särkälle, Merenkävi-
jöiden saarelle, ja ottaisimme jäljelläolevat viinakset
mukaan. Aikomus oli tulla vielä myöhemmin takai-
sin. Lainasin kassasta viinapullon ja kaadoimme
siihen kaiken jäljelläolevan. Mutta eräs tarjoilija
näki sen ja sanoi, ettei saa olla omia viinoja mukana.
Koetin selittää asiaa, mutta sain mennä johtajan luo.
Asia selvisi sitten mutta ulos emme saaneet sitä
viedä, se piti jättää siksi aikaa kassaan. Siispä vein
sen kassaan. Mutta ovella kuulimme, että me emme
enää pääse sisään jos kerran ulos menemme. Kun
sitten mitkään rukoukset eivät auttaneet, menin
kassaan, sanoin, että me jäämme sittenkin sisälle,
sain pullon, pistin sen povitaskuun, otin vielä käsi-
laukun sen päälle, ja sitten purjehdimme koko seu-
rakunta Särkälle. Istuimme kalliolla ja katselimme
kuuta joka kuvastui vedenpintaan ja ryyppäsimme
pullostamme hyvässä yhteisymmärryksessä. Silloin
saapui Heikki Aaltoila (Kansallisteatterin kapelli-
mestari.-LP) ravintolasta kalliolle meidän luoksem-
me ja pyysi meitä mukaansa iltaa viettämään.

Jatkoimme sulkemisaikaan asti, isäntinä vanhat civik-
set, jotka nostalgisina katselivat meidän naiivia iloam-
me.

XI

Filmauksen jälkeen seurasi huoleton purjehduskesä. Merenkävijöillä, johon olin jo isän kanssa liittynyt jäseneksi, oli sulkaveneitä, jotka olivat juniorien käytettävissä. Kesä kului vesillä, Helsingin ulkoluodoilla, pursiseuran saunassa ja ravintolassa, taskussa suuren filmiroolin rahat.

Volter keräsi miespuoliset serkut Tehaniin ja vei meidät Ahvenanmaan ympäri.

Tehani on amerikkalaisten piirustusten mukaan Turun Veneveistämöllä legendaarisen Westinin johdolla rakennettu yawl. Sen kerrastoon kuuluvat flying jib, klyyvari, fokka, isopurje, mesaanin haruspurje ja mesaani. Myötätuulella mastoihin nousevat pyöreät purjeet. Nykyisin se purjehtii Pohjois-Amerikan Suurilla järvillä.

Tehanin keulassa oli puomi, jonka tukivaijerilla saattoi istua, lentäen veden yllä kuohuva kokka alhaalla selän takana.

Jibin jalus oli paksu hamppuköysi, kova kuin rautakanki kun pitkä purje veti täysillä. Veturin kiertokanki!

Itämeri oli puhdas, sen vesi kristallinkirkas. Pohja loisti auringossa varmaan viiden metrin syvyydessä. Opin kalastamaan heittouistimella. Hihkuin riemusta korkealla kalliolla kun kolme isoa haukea taisteli uistimesta. Sellaista ei edes Laatokalla.

Koin ensi kertaa maailman upeimman saariston!

Olinhan Laatokalla tottunut saariin, komeampiin ja dramaattisempiinkin kuin mitä nyt näin täällä. Valtavat mittasuhteet ja tuhlaileva mielikuvitus loivat kuitenkin uuden elämyksen ihmisen elintilasta. Purjehdit päivän, sitten toisen ja sitten vielä kolmannen. Uusia ja uuden-laisia saaria nousee yhä vedestä keulan suunnasta.

Kiipeät saaren laelle. Kelluvien kallioiden matto ulottuu horisonttiin ja taipuu siellä alas näkymättö-miin, katsot mihin suuntaan tahansa. Levität käsivartesi suoriksi ja haluat päästää kaiken ylitse kaikuvan karjai-

Tehanin 7 solmua

sun – jäät seisomaan vaiti, saaret ja luodot sormenpäissäsi.

Jallen kanssa olimme päättäneet lopettaa tupakanpolton. Venettä lastatessa poltimme pois kaiken, minkä olimme varanneet matkaa varten. Välistä suussa roikkui kaksi tupakkaa yhtaikaa, mutta kannen alle ei viety askiakaan. Jo Airiston selällä lentelivät valkeat, siivekkäät papyrossit veneen ympärillä kimeästi kirkuen, ja Jurmon suoralla muuttuivat haahkat havannalaisiksi. Maarianhaminan Seurahuoneella ostimme kumpikin yhden savukkeen ja melkein pyörryimme. Paluumatkan kärsimys oli helpompi kestää.

Olisipa tupakkalakko pitänyt.

Viis siitä! Purjehdus oli niin huikea, että tupakasta viis. Mitä siihen mennessä olin vesillä kokenut kerääntyi raskaan, kauniin veneen keinunnaksi, veneen joka oli tuulten tuttu.

Niihin aikoihin alkoi nuoressa elokuvatähdessä kehittyä snobismiin viittaavia piirteitä. Ajoittain ne saivat huolestuttavia muotoja. Kaikki vaatteeni olivat ennen pitkää räätälin ompelemia. Suunnittelin jo vakavissani paitojenkin tilaamista mittojeni mukaan.

Sitten tulivat ne shortsit.

Kun en mistään löytänyt sellaisia, joiden väri ja kuosi olisivat varauksettomasti miellyttäneet, ostin USA:n armeijan ylijäämävarastosta teltanpuolikkaan, juuri tarkalleen khakivärisen, ja vein sen Harjun pukimoon.

– Ompelisitteko minulle tästä shortsit?

Muistan vaatturimestari Harjun aina kohteliaan mutta tällä kertaa ehkä hivenen viipyilevän katseen. Shortsit hän teki, ja ne olisivat kelvanneet Lionel Barrymorelle.

Päähän kuului baskeri. Muutaman vuoden ajan. Kunnes – ihan totta – vaihdoin sen mustaan puolideniin.

Luojan kiitos tuli sitten Ulfsson ja nauroi ne päästä.

Suomisen Olli
yllättää

165

Jotenkinhan se menestys meni päähän.

Suomisen Olli yllättää tuli ensi-iltaan heti syyskuun alussa. Arvostelijat pitivät siitä, että perheen piirissä käsiteltiin ajankohtaista ongelmaa: Olli palasi rintamalta ja koki sopeutumisvaikeuksia koulunpenkillä.

Omat sotakokemukseni olivat tosin vaatimattomasti vain kotinurkilta mutta sota kuin sota. Harmitti kuitenkin ettei välimatkaa veli Olliin tahtonut syntyä. Joko minä matkin häntä tai hän minua. Olimme sodassa yhtä aikaa, palasimme sodasta kouluun yhtä aikaa, tulimme ylioppilaiksi yhtä aikaa, yrittelimme tyttöjen kanssa yhtä aikaa. Jopa joskus tapasimme saman tytön kimpusta.

Ja kadullahan meillä oli yhteinen nimi – hänen nimensä.

Tuntui oikein mukavalta kun Svenska Teaternin keskus puhui lilla herr Pyöstistä, tai kun Pariisissa muutamia vuosia myöhemmin huudettiin: mösjöö Pystinskij, à l'appareil! Oli kuinka oli, elokuvasta tuli menestys ja arvostelut olivat loistavat.

Hän on tällä hetkellä meidän kaikkein ensimmäisiä elokuvanäyttelijöitämme, nuori mies, joka näyttää olevan kameran edessä kuin kotonaan. Hänellä on sitäpaitsi tavattomasti tajua monenlaisista asioista, eikä hän vahingossakaan eksy luonnollisuuden tieltä. Arvostelija joka on seurannut hänen kehitystään alusta alkaen, vain vilpittömästi toivoo, ettei poikaa pilattaisi ja että hän jaksaisi pitää päänsä kylmänä sen ihastelun myrskyn keskellä, jonka Suomisen Olli yllättää varmasti synnyttää.

P.Ta-vi Helsingin Sanomat

Paula Talaskivi, joka tuon vilpittömän toivomuksen esitti, jätti näiden sivujen syntymisen aikoihin lopullisesti elokuvamaailman seuraamisen ja siirtyi suuremman kankaan katsojaksi.

Rohkenisin sanoa, ettei hän toivonut turhaan.

Kaikki tulee ilmi.
Lasse Pöysti ja
Kaisu Leppänen.

Teatteri- ja elokuvamaailma eivät ehkä kuitenkaan siihen aikaan olleet suurin vaara. Mitähän olisi tapahtunut, jos olisin silloin, kun olin Suomen myyvimpiä tähtiä, antautunut jonkun impressaarion kulutustavaraksi? Ehkä hän olisi nostanut minut niiden tasojen läpi, joista en itse selvinnyt.

Luultavasti hän olisi kuitenkin hyödyntänyt nokkeluuttani ja naiivia charmiani niin tehokkaasti, ettei siitä

167

muutaman vuoden kuluttua olisi ollut myytäväksi enää kirpputorillekaan.

Lähestyvien vaikeuksien merkit olivat jo näkyvillä muutenkin. Ne ilmenivät vielä vain sivulauseissa siellä täällä kehumisten höysteinä – sellaiset ilmaisut kuin »jotka hän osaa jo liiankin hyvin», »hän on ollut parempi ennen», »tällaiset pöystimäiset» jne. Huomasin ne kyllä ja ärsyynnyin niistä. Samalla tajusin, että pohjimmaisena syynä oli pinnallisuus, ja niinpä hakkasin päätäni päiväkirjaa vasten.

Kesän lämpö kylmeni ja syksyllä piti aloittaa yliopistossa. Menin kavereiden vuoksi Eteläsuomalaiseen Osakuntaan, en Karjalaiseen. Se oli kyllä virhe. Kun en kuitenkaan joutanut osallistumaan osakuntaelämään, olisin voinut ennemmin olla poissa Karjalaisesta kuin ESO:sta.

Latinan ja saksan pro exercitiot menivät läpi koulutiedoilla. Saksan teksti käsitteli vielä kaiken lisäksi antiikin teatteria, josta professori huomautti. Hetken pelkäsin rangaistuspisteitä.

Teatteri oli kuitenkin alkanut kiinnostaa niin, että opiskelu jäi taka-alalle. Kävin luennoilla kun kerkisin. Erityisesti ovat mieleen jääneet J.V.Lehtosen mehevät Molière-luennot ja K.S. Laurilan seminaari 1700-luvun kirjallisuudesta.

Ensimmäinen rooli Kansallisteatterissa oli lahtelaisen kirjailijan Aune Peipon esikoisnäytelmässä Kaikki tulee ilmi.

Näytelmä teilattiin niin perusteellisesti kuin vain on mahdollista. Saman tien sai osansa myös Kansallisteatterin johto, joka oli kelpuuttanut näytelmän ohjelmistoon. Ja kun oli kelpuuttanut, ei ollut antanut näytelmälle dramaturgista jälkihoitoa ja vieläpä, kaiken tämän jälkeen, oli sijoittanut ensi-illan Bergbompäiväksi. Sinä iltana oli tarkoitus tehdä palveluksia kotimaiselle näytelmäkirjallisuudelle, ei vetää sen tasoa alas. Täydellinen matalaksipano.

Kulisseissa tietysti väitettiin, että taustalla oli tiettyjä jännityksiä. Joillakin arvostelijoilla oli muka omia intressejä Bergbom-päivän ohjelmaksi.

Näyttelijät pitivät näytelmästä. Sen monitasoinen syyllisyyden kudos oli mielenkiintoista esitettävää. Sen panivat myös arvostelijat merkille. Pekka Alpolla oli kyky saada esityksiinsä tiivistynyttä tunnelmaa, senkin he myönsivät. Itse näytelmän vastaanotto tyrmistytti, siitäkin huolimatta että siinä oli tosiaan Ibsenin näytelmien kaikuja.

Kartanonherra Heikki Ahosen toinen vaimo on vajonnut itsesyytöksiin, koska hän aikoinaan on toivonut edeltäjänsä kuolemaa. Vaikka sen aiheuttajaksi paljastuukin virheellinen lääkemääräys, ei hän pääse syyllisyyden taakastaan irti. Kun Heikin 17-vuotias kaatumatautinen poika vielä kuolee, tosin tapaturmaisesti, on mitta täysi.

Näytelmä tarvitsisi ehkä uuden tarkastelun ja jonkinasteisen dramaturgisen korjailun tullakseen uudelleen parrasvaloihin.

Aune Peiposta tuli minulle harjoitusten yhteydessä ystävä. Kun myöhemmin kävin Lahdessa esiintymässä pistäydyin usein häntä tapaamassa. Hänellä oli mahtava kirjasto, jota kerran tutkimme yhdessä kirjastoneuvos Eino Ellilän kanssa. Oli myös kaksi poikaa. Aune Peippo kertoi, miten hän ohjasi heitä kirjojen pariin. Nuorempi veljistä kuoli traagisesti kelkassaan ja vanhemman veljen Antin viimeiseksi työksi jääneen elokuvan äidistään näin hiljattain Lyypekin elokuvajuhlilla. Ihmisten jättämä kaiku elää kauan ja saa uusia säveliä.

Tapanin rooli näytelmässä oli todella hyvä ja poikkesi siitä, mitä olin siihen asti saanut esittää. Lapsesta saakka olin toivonut »surullisia» osia. Tämä oli nyt sitä. Kansalliseen tulo täytti odotukset. Arvostelut olivat kuivat niin kuin siihen aikaan oli tyylinä, mutta kriitikot hyväksyivät minut. Tulikaste oli kestetty.

Mielenkiintoinen tuttavuus oli Lasse Pöysti, joka kummallisen epämääräisestä, kaatuvatautisesta Tapanipojasta teki varsin inhimillisen olennon. Ei voinut muuta kuin tuntea kunnioitusta sitä tapaa kohtaan, jolla hän selvisi kaikkea muuta kuin kiitollisesta raamatun selittelystään eräässä pitkässä kohtauksessa. Toivottavasti saamme nähdä hänet toistekin.

T.A. Sosialidemokraatti

Lasse Pöysti julisti äsken oppimaansa välittömästi.

E.P-la. Helsingin Sanomat

Kaikki tulee ilmi meni viisi kertaa.

XII

J.V. Lehtosen teatterihistorian luennoilla istui mielen-
kiintoinen ylioppilas, jonka erikoisuus näkyi yli luento-
salin. Hän vaikutti nelikymmenvuotiaalta ja samalla
nuorelta anarkistilta. Hän käveli kuin fasaanikukko,
arvokkasti ja hitaasti, nousten joka askeleella vähän
varpailleen. Hän puhui kuin avattu kirja, äänellä joka
oli samalla kertaa kurkunkäheä ja resonanssinsoin-
nukas.

— Kuka hemmetti tuo on?

Huomasin että hänkin oli kiinnostunut minusta. Se
oli luonnollista, olin jo tunnettu henkilö siihen aikaan.
Ilmeisesti tuo toinen oli kiinnostunut myös teatterista,
kun kerran tiiviisti kävi näillä luennoilla.

Kiinnostuksen täytyi jotenkin purkautua. Ja niin, ker-
ran luennon jälkeen, pysähdyimme molemmat yliopis-
ton portaissa, kumarsimme juhlallisesti, esittäydyimme
ja ilmoitimme olevamme kiinnostuneita lähemmästä
tuttavuudesta. Molemmat kurjet kertoivat jo kauan aja-
telleensa näin. Tutustumisakti olisi kelvannut Oxfor-
din King's Collegen nurmikenttien laidoilla.

Staffan Aspelin oli ensimmäinen tuntemani täysveri-
nen intellektuelli. Hän osasi Strindbergin kadehditta-
van hyvin, sen lisäksi kaiken muun tärkeän ruotsinkieli-
sen kirjallisuuden. Musiikin hän tunsi Šostakovitšia
myöten. Hänen jumalansa oli Stanislavski, josta hän
puhui aina ja paljon, selvästi nauttien nimen s-ääntei-
den tarjoamasta dramaattisuuden lisästä.

Kotona hänellä oli hieno His Master's Voice grammari. Sellainen veivattava mutta ilmeisesti niitä parhaita. Koneisto riippui tuoksuvassa tammilaatikossa. Ääni tuli etuseinän virtaviivaisesta rimasäleiköstä, jolla saattoi säädellä musiikin voimaa, ehkä sävyäkin. Grammarin ääressä kului tunteja. Beethovenin Romanssi F-duurissa viululle ja orkesterille, solistina Siegfried Borries, soitettiin joka kerran.

Staffan oli älykäs kuin harakka ja hauska kuin kookaburra. Hänen naurunsa oli sitä paitsi hyvin lähellä kookaburran kaikkea halveksivaa kähimistä. Hän oli aina liikuttavan tosissaan ja samalla pirujaan täynnä.

Hän kävi innostuneesti – Staffan oli herkeämättä innostunut – Ruotsalaisen Teatterin teatterikoulua. Hän halusi näyttelijäksi, johon ammattiin hänellä ei ollut mitään edellytyksiä. Hän oli siihen aivan liian erikoinen. Hänestä tuli sitten mielenkiintoinen ohjaaja.

Meistä tuli ikuiset ystävät.

Staffanin isä oli Gunnar Aspelin, kemisti-insinööri joka oli lopettanut työnteon kauan sitten. Sen sijaan hän keskittyi kirjoittamaan sanomalehtien yleisönosas-

Staffan Aspelin

toihin kirjoituksia, joissa hän nautinnollisesti hyökkäili kaikkea vastaan, josta ei pitänyt. Sellaista oli paljon. Eirik Hornborg oli erikoisesti hänen tähtäimessään. Vihollisten määrä ja kiukku kasvoivat. Raivostuttaakseen heitä vielä enemmän hän antoi harmaan tukkansa kasvaa olkapäille. Hän vaelteli Väinämöisenä pitkin Mannerheimintietä toivoen löytävänsä keskustelutoverin ja nautti suunnattomasti, kun vastustajat harppoivat harmissaan toiselle puolelle katua.

Aspelinin perheen taloutta piti pystyssä äiti Ingrid, joka polkuporallaan paranteli suomenruotsalaisten lasten hampaita. Lapsia lähetettiin sinne tukimielessä, »kun se Gunnar on niin kauhea».

Kun Staffan kertoi isälleen aikovansa teatteriin Gunnar haki kirjahyllystä Strindbergin Punaisen huoneen.

– Lue tuo! Tule sitten sanomaan, vieläkö haluat teatteriin.

Staffan luki ja sanoi.

Gunnar vastasi: Lycka till!

Staffan kertoi minusta omalle Osmerukselleen, jonne minut kutsuttiin näytille. Siellä oli Bo Carpelan, jo silloin huomattava runoilija, ja hänen kihlattunsa Birgitta Ulfsson, Ghita Grönblom, Carl-Fredrik Sandelin, P.O.Barck ja muita. Gunnar Björling oli piiriä lähellä.

Erityisesti Pelle Barck oli uudenlainen tuttavuus. Hänessä näin käsitteen generositeetti. Sanalle ei löydy suomen kielessä vastinetta. Lähinnä tulevat mieleen suvaitsevaisuus, anteliaisuus, ystävällinen sallivuus.

Pelle käsitteli asiat murskaavan terävästi ja nauroi päälle niin että tapetit halkesivat. Hänestä tuli minulle tämän merkillisen vähemmistön – suomenruotsalaisten – perikuva.

Aloin rakastua suomenruotsalaisiin. Heidän naurava ilkeytensä kutkutti mieltä.

Toinenkin, läpi elämän jatkunut ystävyys, tiivistyi näinä aikoina.

Jaakko Uotila asui naapurina samassa talossa Kalevan

ja Fredrikinkatujen kulmassa. Jaakko tunsi musiikkia ja johdatti minut sen piiriin. Olin kyllä jo jonkin verran harrastanut sitä.

16.11.45.
Soittotunteja otin myös viime syksynä pianisti Elsa Arolta. Olen viime aikoina oppinut suuresti rakastamaan ja nauttimaan musiikista. Pystyn jo sulattamaan melko vaikeatajuisiakin sävellyksiä. Ja suurimpiin nautintoihin kuuluu istua pianon ääressä ja fantisoida, vaikken hallitse vasta kuin C-duurin ja a-mollin ja nekin vain tyydyttävästi.

Jaakon kanssa aloimme säännöllisesti käydä konserteissa, erityisesti Helsingin kaupunginorkesterin. Martti Similä päästi meidät orkesterin harjoituksiin, joihin Eeva-Kaarina Volanen usein meitä seurasi. Siihen aikaan ei teattereissa tehty työtä niin paljon kuin nykyisin. Oli aikaa. Usein kävimme ensin päivällä orkesterin harjoituksessa ja illalla konsertissa. Sieltä juoksimme Jaakon luo, koska hänellä oli parempi radio. Konsertti lähetettiin kokonaisuudessaan nauhoitettuna myöhäislähetyksenä. Erikoisesti muistan miten samana päivänä kuulimme Georg Schneevoigtin johtaman Tšaikovskin viidennen kolme kertaa ja Albert Wolffin elegantin voiman harjoituksissa orkesterin edessä.

Musiikin peruspilarit, sellaiset kuin Beethovenin Ess-duurikonsertto solistina Ernst Linko, Sibeliuksen sinfoniat ja viulukonsertto solistina joko Anja Ignatius tai Ginette Nevey, Mozartin g-mollisinfonia ja jousikvartetot, olivat vielä kaikki uusia elämyksiä.

Meillä oli konsertteihin kausikortit. Niitä sai jonottamalla läpi yön Aleksanterinkadulla Fazerin musiikkikaupan ovella.

Sota-aika ja vuodet sen jälkeen olivat suomalaisten solistien kulta-aikaa. Kulttuurinälkä oli hirmuinen. Konsertit olivat loppuunmyytyjä ja huomattavia tapauksia: Yrjö Selin, Timo Mikkilä, Erik Tawaststjerna, Sinikka Koskelan ensikonsertti . . . Konservatorion yleisön joukossa hulmusi Yrjö Kilpisen tukka ja väikkyi Selim Palmgrenin älykäs hymy.

Ulkomaisia solisteja oli käynyt sodan aikanakin. Konsertit saattoivat keskeytyä hälytyksen ajaksi mutta jatkuivat taas vaara ohi-merkin jälkeen. Sitten aukenivat rajat – ja Westerlundin Kurt Londen nosti pois portit.

Ensimmäisten joukossa tuli Gaspar Cassado. Muistan tarkalleen missä istuin Konservatorion salissa, kun ensimmäinen sellon ääni lensi yllemme. Kuulijat ikään kuin nojautuivat taapäin ja huokaisivat syvään, niin uskomattoman soiva ja runollinen se oli.

Sitten ei millään enää ollut rajaa. Jopa Alfred Cortot konsertoi vanhoilla päivillään Suomessa. Kun Yliopiston juhlasali oli korjattu pomien jäljiltä, siirtyivät sinfoniakonsertit sinne. Harjoituksessa kuulin siellä englantilaisen alttoviulistin William Primrosen viulunääntä.

Oma pianonsoiton opiskeluni ei edistynyt. Olin laiska enkä harjoitellut riittävästi. Se jäi sinne C-duuriin ja a-molliin.

Paskatikki!

Yrittelin kirjailijana. Kirjoittelin salanimellä satunäytelmää radioon, jonka muistaakseni myöhemmin sainkin myydyksi, ja tein dramatisoinnin Prosper Merimen novellista Mateo Falcone. Olavi Paavolainen osti sen radioon, vaikka hän pitikin sitä liian kauheana lähetettäväksi.

Seuraava rooli Kansallisessa oli Toini Aaltosen kirjoittamassa nykyaikaisessa satunäytelmässä Ilmojen halki. Siinä seikkailtiin Hollywoodissa Pirkko Karpin kanssa. Ohjaajana oli taas Pekka Alpo, jolle tämänkaltainen teatteri oli ehkä jonkin verran vierasta. Näytelmä huvitti ja kiinnosti kuitenkin kovasti lapsia, erityisesti Jorma Nortimon mielikuvitusrikas roisto oli mainio. Arvostelut ystävällisiä.

XIII

Kun Ilmojen halki meni viimeistä kertaa, odottelin näytännön alkua roikkuen polvitaipeista pää alaspäin näyttämötornin rautatikkaissa.

Siihen vierelle ilmestyi sellainen mieshenkilö, joka rupesi tekemään tuttavuutta. Hän oli hyvin vakava ja jotenkin vähän koominen. Olin jo ollut niin kauan esillä, että osasin kyllästyä tuttavuutta tekeviin ihmisiin. Lisäksi oli esitys juuri alkamassa. Ei näyttelijöitä saa häiritä työpaikalla. Jatkoin roikkumista. Mies yritti uudelleen päästä alkuun, mutta minä keskityin vatsalihasten voimisteluun, kai vähän myös näyttääkseni, miten hirmuisen vaativaa tämä näyttelijän ammatti on. Kun ei keskustelu edistynyt, häipyi mies näyttämöltä.

Vaan ei antanut periksi.

27.3.46.
. . . tuli johtaja Alpo yht'äkkiä paussin aikana ja vinkkasi minut mukaansa. Joku huusi jo minun saavan osan »Roomeossa». Niin ei kuitenkaan käynyt, vaanhän vei minut erääseen huoneeseen, ja esitteli minut eräälle n. 30-vuotiaalle herralle ja jätti sitten meidät kahden kesken. Manninen oli hänen nimensä. Me istuimme ja juttelimme jonkun aikaa jos mitäkin, hän kysyi, mitä minä opiskelin ja ehdotti, että minun tulisi ruveta lukemaan matematiikkaa, oppiakseni loogillisen, tieteellisen ajattelutavan, sitten hän kumminkin hyväksyi aineyhdistelmä-

ni: estetiikka. l; psykologia.l; taidehistoria.a; etupääs-
sä psykologian vuoksi. Sanoi sen tieteenä vastaavan
matematiikkaa. Me puhelimme sen paussin ja seu-
raavan paussin ja sen ajan, mitä minä en ollut näyt-
tämöllä. En jaksa muistaa, mistä kaikesta me puhe-
limme, mutta yleensä se oli melko ylimalkaista, kui-
tenkin etupäässä minua koskevaa. Lopputulos oli
että hän pyysi minua mukaansa päivälliselle. »Per-
verssi», ajattelin minä, mutta lupasin tulla kuiten-
kin. Otin sitten hiukan selvää siitä, kuka hän oli ja
sain kuulla, että hän oli taiteilija, maalasi siis, ja ru-
noilija, julkaissut yhden kokoelman. Sitäpaitsi oli
hän Otto Mannisen poika. Menimme hänen van-
hempiensa kotiin syömään, yksinkertainen mutta
maukas päivällinen, ja puhelimme koko ajan. Pääl-
lystakki päällä teki hän hiukan omituisen vaikutel-
man. Suoraan sanoen vaikutti hän hiukan yksinker-
taiselta, kainolta kiltiltä pojalta. Päivällisen syötyäm-
me pyysi hän minua atelieriinsa, jonka piti olla ai-
van vieressä. »Selvä – homoseksuaalisti», ajattelin
taas, mutta päättäen olla varovainen menin hänen
mukaansa.

En ollut aikaisemmin nähnyt taidemaalarin ateljeeta
muualla kuin Carl Larssonin tauluissa lastenhuoneen
seinällä.
    Oli kiivettävä portaita kuusi kerrosta.
    Kuin alkemistin paja. Pienen keittiön ja WC:n muo-
dostaman käytävän jälkeen avautui korkea, suuri-ikku-
nainen huone. Kalustuksena oli keinutuoli, piironki,
mallin koroke, muutama aaltojakkara ja maalausteline
joka oli mystinen kuin hammaslääkärin pora. Niiden
lisäksi seiniä vasten kiilaraameja ja kankaita erilaisissa
pohjustusvaiheissa. Nurkassa takaseinää vasten nousi-
vat jyrkät portaat parvelle, jossa suuri sänky ja puhelin.
    – Joo joo, siellä ylhäällä on lämmintä, ajattelin aivan
oikein.

Istuimme sitten siellä. Hän keitti oikeata teetä ja
tarjosi hyvää kahvileipää ja meillä oli aika kodikasta.

Polttelimme Fenniaa. Se oli luxusta siihen aikaan. Tuli-
tikut loppuivat. Mauno otti kaksi piirustuskynän grafiit-
tia, työnsi ne seinäkoskettimeen, lähensi päitä toisiinsa
kunnes syntyi valokaari. Tupakat paloivat taas.

Hiukan jäykkää se keskustelu oli, syntyi pitkiä paus-
seja, jotka eivät kuitenkaan olleet piinallisia. Keskus-
telu oli jo siirtynyt melkein kokonaan filosofiaan.
Tunsin itseni merkillisen turvalliseksi hänen seuras-
saan. Tämä ei merkitse sitä, että olisin luopunut
varovaisuudestani. Vähitellen huomasin, että hän
tutki minua lakkaamatta! Ei tuijottamalla, vaan
henkisesti. Hän esitti aivan suoraan kysymyksiä,
jotka olivat mitä suurimmassa määrin persoonallisia,
mutta minä vastasin täysin avoimesti ja koetin olla
mahdollisimman rehellinen. Sitten hän kysyi, mitä
minä pidin alkoholista. »Jaha, nyt se alkaa», ajattelin
taas, mutta otin hänen tarjoamasa ryypyn. Hän
kyseli minun suhdettani naisiin y.m.s. ja minä ker-
roin niin paljon kuin muistin. Kerran hän kysyi,
lausunko minä. (Nyt en ole varma siitä, tapahtuiko
tämä tänä ensimmäisenä kertana, vai vasta seuraava-
na, mutta se on kai sivuseikka.) Selitin, etten ollut
sitä paljoa harrastanut, mutta tarjouduin lausu-
maan, jos hänellä olisi joitakin minun tuntemiani
runoja. Hän löysikin Selanderin kokoelman Den
unga lyriken ja luin sieltä sellaiset Dan Anderssonin
runot kuin Gillet på vinden, Gamlingen, Jungman
Jansson. Hän oli silminnähtävästi ihastunut. Hän
kehui minun lausumiseni maasta taivaaseen ja kiitti
erikoisesti sitä, ettei siinä ollut minkäänlaista »teat-
terimakeutta». Hän halusi ehdottomasti kuulla lisää.
Istuimme kai kaikenkaikkiaan parisen tuntia, jonka
jälkeen minun oli lähdettävä, koska minun oli vielä

samana iltana esiinnyttävä Messuhallissa. Koska minä näin katkaisin alkaneen tuttavuuden, ehdotin jatkoa, jota seurasikin seuraavana päivänä. Tapasimme muistaakseni senjälkeen melko usein, istuimme ja filosofoimme. Minä kerroin hänelle itsestäni, hän pumppasi minusta kaiken sen, mitä halusi tietääkin, ja mitä hän ei huomannut kysyä, kerroin minä itse. Tästä oli seurauksena, että hän tuntee minut paremmin kuin kukaan muu ihminen maan päällä. Jaakko Uotila, minun paras ystäväni, ehkä melko hyvin, mutta Mauno luultavasti sittenkin paremmin. Meistä tuli ajan mittaan sinutkin tietenkin.

Siitä alkoivat vuodet jotka järkyttivät mieltäni vielä enemmän kuin se partioleiri Laatokalla.

Mauno Manninen oli nerokas ihminen, joka heilautti kaikkia jotka hän kohtasi.

Hänen kulttuuritaustansa oli mahtava. Isä Otto Manninen oli huomattava runoilija ja sen lisäksi merkittävimpiä kääntäjiämme. Äiti Anni Swan oli koko kansan rakastama satutäti. Lähisukulaisiin kuului Tuusulan taiteilijanoblessin kerma: Järnefeltit sekä Sibeliukset Ainolassa, tien toisella puolella.

Mauno oli aikoinaan jättänyt Ateneumin ja siirtynyt Tyko Sallisen oppilaaksi. Hänen ainoakseen, kerrotaan.

Mauno kirjoitti paljon, mutta oli julkaissut vain yhden runokokoelman, Rautaiset tornit.

Todistaakseen, että geenien sekoitukset olivat otolliset lahjakkuuksien syntymiselle kävi Mauno läpi Ison Tietosanakirjan. Siitä hän poimi kaikki suomalaiset joista oli kirjoitettu määrätty senttimäärä. Heidän syntymäpaikkansa hän merkitsi nuppineuloilla Suomen kartalle. Tulos: nupineulat sijaitsivat enimmäkseen Suomen eri heimojen rajamailla! Oli hyvä, sanoi Mauno, että äitini oli Porista ja isäni Jääskestä.

Mauno Manninen muutti käsitykseni itsestäni, lahjakkuudestani ja sen lisäksi kaikesta muusta. Ennen kaikkea taiteen olemuksesta ja tehtävästä. Kun olin siihen mennessä kevyesti tullut toimeen synnynnäisten näyttelijänlahjojeni turvin ja pyrkinyt korkeintaan tekemään kaiken niin hyvin kuin osasin, nousi nyt keskeiseksi vastuu lahjojen kehittämisestä. Vielä tärkeämmäksi tuli oman persoonallisuuden kasvattaminen. Vaatimus epäolennaisen hylkäämisestä ja keskittymisestä tärkeimpään nousi elämänohjeeksi.

Kun sanoin pyrkiväni yhtä hyväksi näyttelijäksi kuin Tauno Palo, Uuno Laakso, Aku Korhonen ja muut, hän raivostui ja tuomitsi kerrassaan kaikki sellaiset vertailukohdat. Napoleon, Goethe, Sibelius – siinä taso, johon on pyrittävä ja uhrattava kaikki muu.

Mauno rakensi karjalaispojalle sivistämisohjelman.

Edessäni oli jatkuvasti taidekirjoja, joista Mauno luennoi.

Sain käteeni Molièren näytelmät, Otto Mannisen suomennoksina. Mauno katsoi pahasti, kun luettuani sanoin niitä kovin yksinkertaisiksi ja lapsellisiksi.

Hän hyökkäsi pinnallisuuteni ja poropovarillisen sovinnaisuuteni kimppuun. Muistan tänä päivänä missä seisoin kun Mauno sanoi: konventionelli!

– Mitä se tarkoittaa?

– No, se on sitä mitä sinä olet mitä suurimmassa määrin! Ja joka sinun on jätettävä! Ja heti!

Hän oli ilman muuta oikeassa.

Mauno Manninen itse oli vain niin hillittömästi epäsovinnainen, että oli vaikeata ottaa häntä esimerkiseen. Lisäksi monet varoittivat hänen laajasta erootisesta spektristään. Se lisäsi varuillaan oloa ja jarrutti oppien omaksumista. Hän kuvaili erotiikkaansa itse ja antoi luettavakseni esseitä, joita hän oli kirjoittanut entisistä »oppilaistaan».

Maunoa kiinnostivat – erittäinkin taiteilijoiden joukossa – enemmän henkilöt, joiden sensuellin herkkyyden alue ulottui leveämmälle alueelle kuin tiukasti maskuliiniseen tai feminiiniseen tuntemiseen.

– Onko hän laaja? oli tavallisesti Maunon ensimmäinen kysymys jos kerroit hänelle uudesta ihmisestä, jonka halusit tuoda joukkoon.

Tutustuminen Mauno Manniseen oli portti uuteen maailmaan, jonne en ollenkaan ollut tähdännyt. Elämys oli samankaltainen kuin koulukirjoista tuttujen taulujen näkeminen Louvressa tai Uffizissa tai Pradossa.

Uskonnollisuuden ylläpitämä vaatimattomuus osoittautui rajoitukseksi. Nyt oli aika lyödä seinät hajalle.

Siinä irtautuivat sitten kyllä jalat vähä vähältä maasta. Shortseista ja edeneistä huolimatta ne olivat sentään säilyttäneet tuntuman multaan ja asvalttiin. Vaikka pää humisi ihanteellisen nuorukaisen Werther-pilvissä, eivät kumipohjakengät tähän mennessä olleet pahemmin lipsuneet.

Nyt alkoi leijuminen!

Aloin toistella mestarin ajatuksia. Käytin hänen omia äänenpainojaan, vaikka tajusinkin niiden syvyydestä vain pintakerroksen.

27.3.46.
Ilmeni, että hän kirjoittaa parast'aikaa näytelmää, että hän on tavattoman teatteri-innostunut ja lisäksi hyvin perillä maamme teatteririennoista, että hän on Kaliman henkiystävä jne. Hän luki minulle julkaisemattomia runojaan ja kirjoitelmiaan ja yleensä meillä oli tavattoman hauskaa. Minä olen laajentunut aivan suunnattomasti sielullisesti siitä lähtien, kun tapasin hänet. En ole tavannut toista ihmistä, jolla olisi niin selvä järki ja äly ja kykenisi yhtä loogillisesti muodostamaan oman käsityksensä asiosta, kuin hän.

Mauno yritti muotokuvaa minusta. Paperille maalattu luonnos jäi kesken. Niin kävi seuraavankin, sillä Mauno väitti ilmeeni muistuttavan liikaa Otavan kuvapäällikköä Arvid Lydeckeniä. Ehkäpä heillä oli ollut jotakin skismaa. Minulle Lydecken sopi hyvin. Olin pitänyt hänen kirjoistaan. Kolmas yritys onnistui paremmin, mutta minusta tuli siinä liian vanhan näköinen. Luultavasti oma syyni koska yritin vaikuttaa kypsemmältä kuin olin. Neljäs, myöhemmin syntynyt kuva tyydytti kaikkia osapuolia.

Eräässä julkaisemattomassa käsikirjoituksessaan, jonka Mauno antoi luettavakseni ja joka sitten jäi papereitteni joukkoon, Mauno korostaa taiteilijan siivon elämän merkitystä:

En usko vähäisimmässäkään määrin väitettä, että yksilö, joka on kyllin lahjakas, pystyy selvittämään asiansa. Olenpa melkein päinvastaista mieltä ja hymähdän: keskinkertainen kyllä löytää paikkansa joten kuten, mutta lahjakkaat yleensä tuhoutuvat – väite ei ole sen kummempi kuin että jaloimmat kasvit ovat usein arimpia. Vieläpä niin, että juuri keskinkertaisille on kehittyminen ja oppiminen helpompaa, sillä he eivät näe ikäänkuin asioitten juuria, he poimivat kaikesta vain irrallisen, marjat, ja kulkevat täysine suineen iloisina ja mieli täynnä viisauden ylistystä eteenpäin.
Sitävastoin lahjakkaan sielu on monisokkeloinen. Hän ei löydä selvyyttä siinä, on milloin tuon milloin tämän puuskan vietävänä ja jokainen pienikin asia herättää lukemattoma kysymyksiä joihin ei ole vastausta.
Juuri jalot, toimintakykyiset, herkät ja rohkeat ovat eniten alttiita. Heidän henkinen liikkuvaisuutensa on suurempi, heidän näkönsä terävämpi, heidän otteensa kiihkeämpi, tiedonhalu ja uteliaisuus tyydyttämätön siksi he lakkaamatta joutuvat selkkauk-

siin, ristiriitoihin, liian kuluttaviin ja kiehtoviin pyyteisiin, jotka polttavat liian paljon.

Mutta porvarillisessa ajattelussa ja kaunosielujen parissa tehdään tämän vuoksi johtopäätös, se on jotenkin neroille kuuluvaa, jotakin, mikä on heiltä kielletty, mutta joka on sallittua noille hävittämättömille, suurille . . . ja kaikki porvaripojat ja tytöt haaveksivat iltaisin, etsivät käsiinsä kirjoja, missä puhutaan väkivallan teoista ja joista leviää salaperäinen ja suloinen kutkutus ruumiiseen. Ja he tahtovat tulla taiteilijoiksi ja elää. Elää! mikä ihana sana, tuntea pohjavirrat, ja heittäytyä kuohuihin! Olla syvämietteinen ja maistaa syntiä!!

———

Ja sitäpaitsi havainto, että taiteilijat eläisivät mitä hirvittävintä elämää on väärä. Jos umpimähkään, ilman mitään ennakkoasennetta valitsemme joitakuita kaikkein nerokkaimpia henkilöitä kuten Sofokles, Lionardo, Michelangelo, Rafael, Dante, Goethe, Beethofen, Bach, Ibsen jne. ei heille kellekään ole ollut luonteenomaista mikään maailmanlopun elämä. Päin vastoin he ovat itse nimenomaan kaikki tehostaneet terveen elämän merkitystä ja mikäli ovat sallineet itselleen vapauksia – kenties jokapäiväisen ihmisen mielestä sangen arveluttaviakin – ei heidän päähänsä ole pälkähtänytkään selittää profetuallisen ja salamenoihin tottunein juhlailmein totuuden etsijän traagillista suuruutta hänen etsiessään elämän viettelyksiä, vaan ovat he kuitanneet asian paljon luonnollisemmalla ja vähemmän laajakantoisella hieman huumorin sekaisella hymähdyksellä.

———

Näemme siis, ettei tuo käsitys taiteilijasta juuri koske niitä, jotka ovat kohonneet korkeimmille huipuille, vaan niitä, jotka ovat jääneet puolitiehen – joko sitten koska heidän lahjakkuutensa ei ole ollut riittävä tai eivät ole osanneet käyttää sitä hyväkseen.

Mauno itse ei kylläkään elänyt niinkuin opetti. Hänen elämäntapansa kehittyivät vuosien mittaan yhä hurjemmiksi. Joku on sanonut, että Maunon pahin vihollinen oli luultavasti hän itse. Hän taisi tehdä filosofialleen samanlaisen palveluksen kuin Stalin kommunismille.

Kun tutustuin Maunoon, hän oli erinomainen maalari ja lupaava runoilija. Vuosien mittaan hän siirtyi abstraktiin maalaukseen. Vähitellen sai vaikutelman, että hän tunsi jatkavansa kirjoittamista siitä, mihin isä oli lopettanut ja maalausta siitä, mihin Picasso oli päässyt.

Monet varoittivat Maunon homoseksualisuudesta. Kymmenien vuosien ystävyyden jälkeenkään en voi sanoa, miten sen laita oli. Kyllähän hän mielellään puhui pumppipojista. Mauno ei jättänyt helpolla mitään sitä ensin kokeilematta.

Toimin kuitenkin monivuotisena postillon d'amourina Maunon ja erään tunnetun rouvashenkilön välillä.

Mauno jakoi ihmiset ryhmiin. Korkein aste oli Hirmut. Sibelius oli Arkkihirmu. Sitten tulivat Pukit. He olivat luovuutta omaavia ja henkisesti kehittyneitä ihmisiä. Heillä oli kyky säilyttää välimatka itseensä ja muihin sekä sarkastisen makuinen huumorintaju. Tähän luokkaan kuuluminen oli tärkeätä.

Pukkien vastakohtia olivat Kastrullit. He puhuivat paljon, pääasiassa sellaista minkä sanominen oli perinjuurin turhaa. He elivät omien satunnaisten halujensa ohjaamina ja noudattivat sovinnaisia sääntöjä. Heidän runsas toimeliaisuutensa ei vienyt mitään eteenpäin, ei ainakaan taidetta.

Hirvittävin ryhmä olivat Slaskit, joita oli syytä kaikkialla välttää. He saivat päätoimisesti aikaan harmia. Heidän syntinsä oli synneistä suurin: aktiivinen tyhmyys.

Maunon ympärillä liikkui huomattavia taiteilijoita ja persoonallisuuksia.

Mauno tulossa
ulkomailta.

Åke Mattas näkyi ateljeessa viimeisinä vuosinaan.

Tuomas v. Boehmin kanssa ryhdyimme rakentamaan pienoisteatteria. Kunnianhimoisena tarkoituksena oli luoda siihen käyttökelpoinen valaistuskalusto, jolla voisimme tutkia näyttämövalaistuksen mahdollisuuksia. Tätä varten suunniteltiin pieniä, säädettäviä valonheittimiä. Työ jäi kesken. Tallella on valonheittimen piirustuksia, teatterin perussuunnitelma ja pari linssiä.

Mauno matkusti Ruotsiin ja sain käyttää hänen ateljeetaan työhuoneena. Luin siellä yhden tentin.

Jaoin ateljeen Kari Suomalaisen kanssa. Hän käytti sitä päivisin maalaamiseen ja piirtämiseen. Kari kertoi tehneensä ratkaisevan päätöksen taitelijanurastaan. Hän lopettaisi maalaamisen ja keskittyisi grafiikkaan – ja nimenomaan piirtääkseen samomalehteen. Kauhistuin ja moitin häntä niin kevytmielisestä suhtautumisesta pyhään asiaan. Sanomalehteen! Mitä se sellainen nyt olisi?

185

Kariin syntyi liikettä. Hän juoksi Maunon kirjahyllylle, levitti sieltä mallin korokkeen laidalle kaiken mitä Daumierista löytyi ja piti kiihkeän luennon. Näkökulmat olivat minulle uudet. Kuuntelin silmät pyöreinä.

Pari vuotta myöhemmin kolusin Pariisin Latinalaiskortteleiden antikvariaatteja ja löysin kasan irtirevittyjä sanomalehden sivuja, joissa oli Daumierin piirroksia. Eivät olleet edes kalliita.

Tuli sitten se ilta, jolloin Mauno ilmoitti, että nyt saisin tutustua hänen parhaaseen ystäväänsä, pianisti Erik Tawaststjernaan ja hänen vaimoonsa Carmeniin, joka oli Tuomas v. Boehmin sisar. Ilmoitus tuli vakavan komennon muodossa: nyt käyttäydyt kunnolla ja arvokkaasti. Kävelymatkalla heidän kotiinsa yritin keskittyä. Jo pelkkä Tawaststjernan nimikin kuulosti vaikealta, vähän niin kuin Nietzsche.

En muista illasta yhtään mitään.

Jatkossa tajusin, että olin hyväksytty. Pian koin itseni ystäväksi.

Tilanteeni muuttui. Saatoin luopua varovaisen pelokkaasta suhtautumisesta Maunoon, koska rinnalle oli tullut turvallinen kiinnekohta Luotsikadulla.

Niin alkoi Katajanokka-elämä: Otto Manninen ja Anni Swan Kruunuvuorenkadulla, Maunon ateljee Kauppiaankadulla ja Tawaststjernat Luotsikadulla, kaikki viiden minuutin kävelymatkan päässä toisistaan. Tarkkaan ottaen samaan piiriin mahtui vielä Nicken Rönngren Kauppiaankadulla, mutta siellä en kuitenkaan käynyt. Liikuin Suomisen Ollilta perimälläni polkupyörällä. Aikaa oli runsaasti ja käytin sen kehräämiseen tässä uudessa maailmassa.

Ystävällinen kohtelu ja viihtyminen Tawaststjernoilla himmensi käsitykseni siitä, mikä oli sopivaa ja mikä ei.

Kun kerran viihdyin, olin siellä aina. Kutsumatta.

Kun vapauduin harjoituksista tai radiosta, poljin

pyöräni sinne, soitin ovikelloa, sanoin päivää, astuin sisään ja pesiydyin tuolilleni olohuoneen nurkkaan.

Huoneen valoisa tunnelma muistutti Mozartin asuntoa Wienissä, sitä missä hän sävelsi Figaron häät. Huonekaluja oli vähän, maalaisrokokoota, päällykset vaalean okranväriset, osittain harsomaiset. Huonetta hallitsi Erikin Bechstein, johon hän toi Saksasta uuden vasarakoneiston. En koskaan oikein ystävystynyt sen instrumentin kanssa. Sen pedaali kaikki liikaa ja sotki instrumentin muuten hienon kirkkauden, jolla Bechstein mielestäni päihitti Steinwayn. Senkaltaisia ajatuksia kehittelin tärkeänä nurkassani.

Erik harjoitteli ne kuusi tuntiaan päivässä. Istuin ja kuuntelin. Bachin koraalitranskriptiot. Beethoven Op. 111. Scrjabinin viides sonaatti. Kolme Mozartin sonaattia. Kaikki kolme soitettuina tavalla, jonka vertaista en ole myöhemmin kuullut. Syvyys, kuulakkuus ja musikaalisuus herkissä sormenpäissä.

Musiikillisen urani huippu saavutettiin kun sain

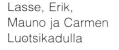

Lasse, Erik, Mauno ja Carmen Luotsikadulla

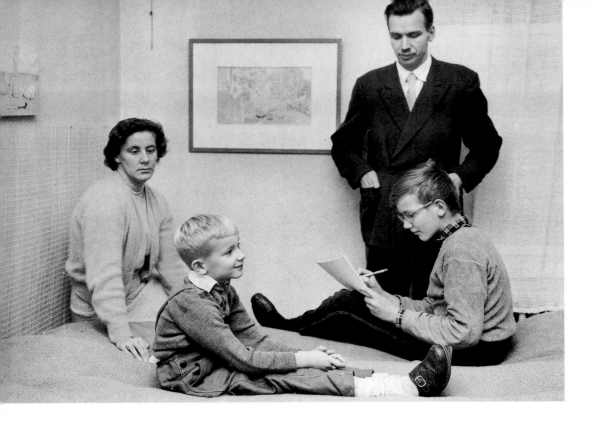

kääntää lehteä Erikille Yleisradion Fabianinkadun stu-
diossa. Skrjabinin viides sonaatti. Olin päättänyt sel-
vitä tehtävästä ilman että pianistin on annettava merk-
kejä päännyökkäyksellä. Taisin selvitä, en mene van-
nomaan.

Ja kuinkas kävikään myöhemmin:

26.09.50.
Erik soitti eilen Sibeliusta radiossa. Kuuntelin kon-
serttia radion eteisessä. Sen loputtua tapasin hänet
Tuomas Haapasen kanssa joka oli kääntänyt lehteä.
Ennen olin minä hänelle lehteä kääntämässä. To-
siaan saavat tunteeni epäilyttäviä muotoja.

Joskus ilmestyin Luotsikadulle jo aamusta. Kuuntelin
soittamista, joko Erikin tai oppilaiden sormista synty-
nyttä. Ihmisiä tuli ja meni, minä istuin tuolillani. Ehkä
valmistelin roolia tai luin kirjaa. Kun tuli päivällisen

aika, puhelimme, puhelimme koko illan. Ehkä menimme konserttiin. Tai vieraisille.

Vain kerran kuulin Erikin huokaisevan syvään ovea avatessa kuin ajatellen: tuleeko tuo taas! Huomasin sen kyllä mutta päätin olla välittämättä.

Odottelimme illalla Carmenia. Keitimme teetä, Erik ja minä. Puhuttiin matematiikasta. Erik puhui, hänellä oli laudatur yliopistossa.

Sota-ajan vuoksi oli minun koulumatematiikkani päässyt vain logaritmeihin. Kuulemista siis riitti. Olin kuitenkin koulussa oppinut imaginääriyksikön, i:n, neliöjuuren miinus yhdestä. Se oli ainoa oppimani käsite jota ei voinut havainnollistaa omenilla tai oravannahoilla. Portti tuntemattomaan. Ikkuna pimeään.

Nyt Erik kertoi e:stä, joka esiintyy sarjojen yhteydessä ja oli mielestäni yhtä epätodellinen kuin i. Tajusin kai suunnilleen sellaista, että e tulee ajankohtaiseksi kun luvut tulevat niin suuriksi, että ne ryöstäytyvät käsistä ja alkavat taipua omien halujensa mukaan – toinen ikku-

Erik ja Bechstein

na pimeään mutta ikään kuin huoneen vastakkaisella seinällä.

Juuri, kun olin ajatuksissani kokenut maailmankaikkeuden käsittämättömän selittämättömyyden, sanoi Erik että Gauss oli saanut syntymään yhtälön $e\ p^l = -1$

Niin kuin joku olisi kytkenyt johdot tuhat kilometriä pään yläpuolella. Tähdet asettuivat paikoilleen. Kosmos otti ojennusta.

Sen illan jälkeen on koivujen mahla noussut ja radiolaitteiden viesti kulkenut mielessäni niitä johtoja myöten.

Hiljattain olin Enossa sikäläisten elokuvajuhlien vieraana. Lentokoneen lähtöä odotellessa istuimme kunnanjohtaja Tohkasen kotona. Sinne oli metsästä juossut nuori, isäntänsä kadottanut pystykorva. Täällä se oli otettu ystävällisesti vastaan. Siinä se makasi flossamatolla kaikkien keskipisteenä, tassut suorina, eteen työnnettyinä, vilkkaat silmät hymyilivät vuoroon meille kaikille. Uudessa ympäristössä se nautti uuden luottamuksen rauhasta.

Katselin koiraa. Se toi mieleen ajat Luotsikadulla.

Uudet näkökulmat sekoittivat kuitenkin päätä. Ja jo oli aika, voisi sanoa!

3.4.46.
Minua ei mikään tyydytä. Kaikki muuttuu ja mutkistuu. Joskus 17-vuotiaana toivoin, etten koskaan vanhenisi, koska pidin sitä ikää ihanimpana, mitä ihmiselle tulla voi. Tuo toivomus johtui siitä, että tunsin riemua sen johdosta, että huomasin hiljalleen oppivani ajattelemaan . . . Nykyisin minä pidän ajatuksia suurimpana kiusanani. On ikäänkuin minussa olisi vastustamaton pakko »filosofoida». Eikä siitä kuitenkaan tule selvää. Toisinaan, usko pois, tuntuu kuin rintakehää joku painaisi sisäänpäin. Ahdistava tunne, ymmärrätkö.

Kaikki on minussa sekaisin. En hyväksy avioliittoa luonnottommana mutta tarpeellisena laitoksena. Uskonnosta minulla ei ole mitään kantaa tai käsitystä. Se minua kiusaakin sanomattomasti. – Minä haluaisin uskoa, ja olen koettanut järjellä vakuuttaakin itselleni, että on olemassa korkeampi olento, jota kaikki uskonnot palvelevat, mutta, ymmärrätkö, en sittenkään pysty omaksumaan sielullani tuota »teoriaa». Minun käsitykseni oikeasta ja väärästä menevät pian sekaisin. Ei missään rikollisessa mielessä, vaan en pysty keksimään mitään todella varmaa lähtökohtaa, johon ydistämällä ja vertaamallla voisin määritellä eri seikkojen oikeutuksen. Lisäksi en ole varma omasta olemuksestani. En osaa arvostella, missä asiassa olen oikeassa, missä en, kun en voi tietää, osaanko ajatella oikein, vai luulenko vain itseäni järkeväksi.

P.S. Minun tekisi mieleni häipyä merille ja mennä kulkuriksi itämaille. Sen minä vielä joskus teenkin!

Birgitta Ulfsson, Ruotsissa nykyisin, ottaa välistä runoiltojensa ohjelmaan Margaretha Ekströmin runon Instruktion för skalbaggar.

För att man skall kunna flyga
måste skalet klyvas
och den ömtåliga kroppen blottas.

För att man skall kunna flyga
måste man gå högst upp på strået
också om det böjer sig
och svindeln kommer.

För att man skall kunna flyga
måste modet vara
något större än rädslan
och en gynnsam vind råda.

Jotta voisi lentää
on kuori halkaistava.

Jotta voisi lentää
on noustava korren ylimpään nokkaan
vaikka se taipuu
ja huimaus kasvaa.

Jotta voisi lentää
on rohkeuden oltava
hiukan pelkoa suuremman
ja tuulen oltava suotuisa.

Ajatusten sekavasta pyörimisestä oli hyötyäkin. Kun uni
ei tahtonut tulla, syntyi öisin kaikenlaista tekstiä pape-
rille. Näytelmänalkuja, novelliyrityksiä, suunnitelmia
elokuvakäsikirjoituksiksi. Ne kaikki jäivät kesken. Yhtä
satunäytelmää lukuun ottamatta.

XIV

Jo kouluaikana syntyi kiinnostus Ranskaa ja ranskalaisia kohtaan. Suunnittelin jopa, että ellen sodassa joutuisi aivan etulinjaan harrastaisin visakoivukuppien sijasta ranskan kieltä.

Se alkoi Preussin Fredrik Toisesta, sankarista jossa mielestäni valistunut itsevalta näytti hyvät puolensa. Ja sitten kävi ilmi, että hän oli valinnut ystäväkseen ranskalaisen, Voltairen. Saksalaiskeskeinen maailmankuva alkoi rapautua.

– Mitä ne oikein on, nuo ranskalaiset, kun kerran Fredrik Suurikin katsoo tarvitsevansa niitä?

Kun sitten Koskenniemen Goethe-elämäkerrasta luin ranskalaisesta kotiopettajattaresta ja hänen vaikutuksestaan Goetheen, uusi kuva alkoi jo kirkastua.

– Niiden täytyy olla aika perkeleitä, ranskalaisten!

Siitä syntyi himo oppia ranskaa – eikä vain niin – halu samaistua heihin, kulkea heidän joukossaan yhtenä heistä. Kokea Ranska sisältäpäin.

Koulussa jouduin, kiitos linjanvaihdon, lukemaan viimeisen vuoden ranskaa, mutta koska latina vaati kaikki voimani, en juuri välittänyt siitä. Ajattelin etten kuitenkaan saa kiinni muita. Eivät ne kehtaa minua ranskan vuoksi pudottaa. Eivätkä sitten kehdanneetkaan! Maisteri Antero Jatkola antoi päästötodistukseen viitosen, jonka edestä en kyllä omannut tietoja. Siitä olkoon hänelle kuitenkin ikuinen kiitos.

Jankutin näitä ajatuksiani Maunolle, kunnes hän kyllästyi ja tarttui puhelimeen.

– Mutta sitten hankitaankin sellainen opettaja, joka ei osaa mitään muuta kuin ranskaa. Niin et kuule yhtään epäaitoa sävyä etkä voi käyttää tunteja tyhjän lörpöttelemiseen.

Maunon etsintä tuotti tuloksen. Löytyi Mme Anglade. Hän osasi sen verran saksaa, että tulimme toimeen. Hän oli filologi kuten miehensäkin.

Mme Anglade tajusi tarkalleen mihin pyrin. Kielioppia sain lukea omin päin. Käännöstehtäviä hän ei voinut tarkastaakaan. Tunnit käytettiin oikean intonaation löytämiseen. Paljon ääneenlukemista. Istuimme vastakkain pöydän kahden puolen ja aloitimme A:sta. Kaikki kolme erilaista. Ensin pelkkinä ääntiöinä, sitten sanojen yhteydessä. Sitten kaikki erilaiset E:t, sitten O:t. Vähitellen pääsimme sijoittamaan ärrää kurkkuun. Kuin koirat murisimme toisillemme yli pöydän, Madame kuin ranskalainen villakoira jolle minä vastasin saksanpaimenkoirana. Hiljalleen hurtta lähestyi Reiniä, muriseminen pehmeni. Ilo oli suuri kun saatoin kuvitella päässeeni joen yli Alsacen viinirinteille.

Hyvin varhaisessa vaiheessa Madame vei minut Ranskalaiselle klubille. Siellä ei tarvinnut hävetä, jos ei osannut kieltä. Kunhan yritti. Ensin kaksi sanaa peräkkäin, sitten kolme.

Klubilla puuhasi myös tarmokas Tutu, Mme Marguerite Tuderus. (lausutaan Tyder´ys). Hän oli ranskatar, suomalaisen everisti Tuderuksen leski. Hän rakasti teatteria yli kaiken. Erityisesti ranskalaista bulevarditeatteria. Hän oli perustanut Helsinkiin teatteriseurueen, jonka nimi oli Compagnie d'Amateurs du Théâtre Français. Tämä seurue tuotti vuosittain pari julkista ensi-iltaa sekä joukon hupinumeroita klubille. Esityksiä varten vuokrattiin joku helsinkiläinen teatteri. Lainalavasteissa näyteltiin sitten komedia. Omalla tavallaan esitykset muistuttivat teatteria.

Keskellä tutisevahousuinen kreivi de Bosson. Vasemmalla Ritva Arvelo, oikealla Marguerite Tuderus.

Suomalaisen kielenopiskelijan kannalta oli onnellista, että runsas puolet esiintyjistä oli syntyperäisiä ranskalaisia tai muuten täydellisesti kieltä taitavia. Kunhan vuorosanansa oppi jotenkin lausumaan, sai harjoituksissa puhua dialogia ranskaksi oikeasti, ei leikisti.

Ensimmäinen roolini oli vanha kreivi de Bosson Paul Armantin ja Leopold Marchandin komediassa Le Valet Maître. En osannut vielä kieltä enkä millään pystynyt tajuamaan tekstistä mistä näytelmässä ylipäätään oli kysymys. Sain lainata Svenska Teaternista näytelmän ruotsinkielisen käännöksen, ja niin työ alkoi sujua. Esityksessä olivat mukana myös Ritva Arvelo ja Risto Veste, jotka molemmat osasivat ranskaa sujuvammin kuin minä.

Tuli sitten ensi-ilta ja pari kuukautta kestänyt hauska leikki muuttui tositilanteeksi: pakko astua näyttämölle.

On sellainen sanonta tutisevista polvista. Epärealistinen kielikuva, olin aina luullut.

195

Nyt sain nähdä miltä sellainen näyttää.

Astuin näyttämölle. Pysähdyin. Yritin sanoa jotakin. Ei mitään.

Mutta mitä tuolla alhaalla tapahtuu?

Käänsin katseeni alaspäin ja näin selvästi kuinka omat polveni kolisivat toisiaan vastaan. Shaketin raidalliset lahkeet lepattivat. Hirvittävä hetki.

Sitten, ei muuta kuin puhumaan!

Eräs arvostelija sanoi minun piirtäneen omintakeisen kuvan, toinen ettei sanoista tahtonut saada mitään selvää. Uskon vuorenvarmasti jälkimmäiseen.

Ajan mittaan kuuluin seurueeseen yhä kiinteämmin. Tutu jopa adoptoi minut. Sain luvan kutsua häntä äidiksi, maman. Myöhemmin olen kuullut, että minulla oli samoin oikeuksin varustettu veli, jota en kuitenkaan näissä yhteyksissä tavannut, Erkki Toivanen.

Kun Jean Marie Chapeau tuli yliopiston ranskan kielen lehtoriksi tilanne muuttui. Hän oli konservatorion käynyt etevä näyttelijä jonka perhe oli pakottanut toiselle uralle. Hän perusti Helsinkiin toisen ranskankielisen harrastajanäyttämön, La scène Françaisen, jonka tavoitteet ja ohjelmisto olivat toisenlaiset. Liityin siihen. Maman ei tästä kylläkään pitänyt.

Eino Kalima, Kansallisteatterin johtaja, oli Otto Mannisen vanha ystävä. Ja niin myös Maunon.

27.3.46.

Sitten hän käski minun ankarasti harjoitella runonlausuntaa ja kutsui Kaliman ja minut kerran luokseen. On huomattava, että tämä on Maunon sanojen mukaan ensimmäinen kerta, jolloinka Kalima on suostunut ottamaan vastaan näyttelijänsä privaatissa. (Nyt olenkin muistavinani, kuin tuo idea Ranskaan menemisestä olisikin Kalimasta lähtöisin, kun Mauno kertoi hänelle minun lausumisestani). Joka tapauksessa istuimme tuon illan Maunon luona ja juttelimme. Minä luin Kalimalle runoja, jotka olin valmistanut juuri tätä tilaisuutta varten ja Kalima oli kuulemma ollut ihastunut. Hänkin puhui minulle aivan avoimesti Ranskaan menosta ja kun kysyin, millaisia vaatimuksia ja mahdollisuuksia sen suhteen oli olemassa, kertoi hän Ranskan valtion jakavan joka vuosi kuusi suurta stipendiä ulkomaalaisille siellä opiskelua vartern. Sitä varten on käytävä osoittamassa kielitaitoaan Ranskan ministerille. Kalima kertoi jonkun pianistin eläneen sillä rahalla vaimoineeen kaksi vuotta siellä. (Kyllä sinä sitten pystyt elämään reilusti vuoden siellä, sanoi Jaakko, kun kerroin hänelle tästä.) Maunon sanojen mukaan ainoa asia, joka on tässä tiellä, on minun ranskankielen taitoni. Kalimalla on kuulemma siksi hyvät suhteet sinnepäin, ettei kuulemma ole epäilystäkään minun sinne pääsystäni. Nykyisin minä opiskelen senvuoksi ankarasti ranskaa. Tämä tulisi tapahtumaan noin parin vuoden kuluttua, jos tapahtuu.

Kun kielitaito kehittyi, alkoi vinkkejä stipendimahdollisuuksista tulla myös ranskalaiselta taholta. Omat tavoitteeni olivat kuitenkin siirtyneet kauemmaksi. En suostunut lähtemään Ranskaan niin kauan kuin oli tarjolla vaara, että puheeni paljastaisi minut ulkomaalaiseksi.

Siis pontta opintoihin!

Kävi niin, että Angladet muuttivat toiseen maahan. Madame testamenttasi minut ystävättärelleen, joka ei ollut filologi mutta sen sijaan pariisitar joka puhui aitoa, nopeaa Pariisin ranskaa kikkoineen ja oikoteineen.

Kerroinko jo miten hurmaava hän oli?

Tahditonta verrata naista toiseen naiseen.

Mutta! Jos kuvittelee mielessään Micheline Preslen, jolla tukka kiertää päätä kuohkeana kruununa, hiusten latvat ruosteenvärisinä, pääsee aika lähelle.

Nyt sai Katajanokka vähän odottaa.

Maksoin huolellisesti yhdestä viikkotunnista. Ja olin siellä kaiket päivät. Opin laittamaan ruokaa. Näin, miten pommes frites keitetään ja miten niiden kehikkoa pitää kerran kolauttaa. Kun Monsieur tuli kotiin päivälliselle, se oli meillä valmiina. Päivällisen jälkeen menimme Monsieurin kanssa Ranskalaiselle klubille, jonne Madame ei seurannut.

Jonkin aikaa aamut sujuivat kuitenkin toisen ranskattaren seurassa. Hän oli – voiko niin sanoa – yhtä ihastuttava. Hain hänet aamulla kahdeksalta kotoa Töölöstä ja vein raitiovaunulla Maunon ateljeehen Katajanokalle, jossa Cecile sitten maalasi muotokuvaa minusta. Samalla maalasi Mauno muotokuvaa Cecilestä ja opetti häntä.

Sitten taas kiireesti Eiraan, ranskantunneille.

Opin ranskaa hyvin nopeasti.

Kun katsoin olevani kypsä hain stipendiä enkä saanut. Sodan aikana ruuhkaantuneita hakemuksia oli liian paljon, sanottiin.

Toisen stipendin turvin pääsin lopulta perille eikä kukaan siellä koskaan kysynyt mistä olin kotoisin!

Me ranskalaiset katselimme jenkkisotilaita, jotka vetelehtivät baareissamme.

XV

Kaveripiiri koulusta ei suinkaan häipynyt valkolakin myötä. Ja se oli hyvä asia. Olen jo maininnut, että Osmerus elää ja on tänäkin päivänä.

Siihen aikaan Kalle, Upi, Jaska ja minä olimme usein yhdessä. Yhteinen itsekeskeisyys ja navantuijottelu oli jatkuvasti lempiharrastuksemme.

7.7.46.
No niin! Meidän neliapilallamme on tapana kokoontua joskus ja jutella kaikenlaista. Kerran teimme tilastollisen tutkimuksen tytöistä ja luultavasti samalla kertaa innostuimme lausumaan aivan sovussa julki totuuksia toisistamme. Silloin muistan minua moititun minun epäjärjestykseni vuoksi ja toiseksi siitä, että minä näyttelen yksityiselämässäkin. Silloin he eivät kuitenkaan kyenneet osoittamaan sitä minulle kyllin selvästi. Mutta sen he tekivät varmasti toissailtana. No niin ! Ne viat, mitä he nyt löysivät minusta ovat suunnilleen seuraavat
I. Minä esiinnyn jollakin lailla yliammutusti, esimerkiksi keskustellessani postineitien ja ravintolavahtimestareiden y.m. sellaisten kanssa.
II. Toiselta puolen minä kohtelen ihmisiä, joita kohtaan minun pitäisi osoittaa suurta kunnioitusta, liian tuttavallisesti, tavallaan pikkuvanhasti.
III. Käytän liiaksi sivistyssanoja.

IV. Tuon kaiken oppimani liian kärkkäästi esiin.

V. Suhtaudun toisinaan hiukan alentuvasti ihmisiin.

Kesällä 1946 Mauno vei minut Kotavuorelle, Mannisten kesäpaikkaan. Matkalla pysähdyttäisiin Tuusulassa. Mauno halusi viedä runokirjansa Rautaiset tornit sukulaiselleen Jean Sibeliukselle.

Junassa hän vaikutti itsekeskeiseltä ja tärkeältä – vähän koomiselta – tapaamisen valmistelussa. En oikein aina tiennyt mihin hänen puheissaan piti uskoa, mihin ei. Epäilin tarinaa Sibeliuksesta jotenkin liioiteltuksi. Se kohotti omaa itsevarmuuttani.

Ei huolta, charmi tallella – ja sehän varmasti tulee tehoamaan sellaiseen kosmopoliittiin kuin Sibelius. Onhan se tehonnut muihinkin!

Tultiin Järvenpäähän. Mauno osoitti Halosenniemeä ja kertoi, että siellä keksittiin suomalainen maisema.

Kävelimme tietä jonka myöhemmin tunsin Sillanpään kuvauksissa hänen muistelmissaan. Silloin oli Eero Järnefelt ottanut siipiensä suojaan lahjakkaan hämeenkyröläisen maalaispojan ja tehnyt hänelle sivistämisohjelman.

Ikään kuin voisin osoittaa paikan missä Sillanpää kertoi tavanneensa Sibeliuksen.

Mauno halusi käydä Järnefelteillä, jotka kai itse asiassa olivat hänelle läheisempiä sukulaisia kuin Ainolan väki. Ja niin menimme Eerolaan.

Olen käynyt hoveissa Karjalassa, tuntenut niiden tuoksut ja uinuvan rytmin. Sama tunnelma leijui Eero Järnefeltin kodissa. Puuhuvilan tuoksuun liittyi nyt nelikätinen pianonsoitto. Tosiaan, kaksi vaalea-asuista naista pianon ääressä.

Nelikätinen soitto on yhtä rasittavaa kuunnella kuin sitä on hauska harrastaa. Ajatus taisi syntyä juuri siellä. Jauhoin sitä sitten kävelyllä Ainolaan tehdäkseni vaikutuksen opettajaani.

Matka tien ja peltojen yli Ainolaan oli vaivalloinen.

Jotain kantamistakin kai oli enkä ymmärrä miksi oikaisimme peltojen poikki.

Isäntäväki otti meidät ystävällisesti vastaan. Ja niin siirryttiin kulmahuoneeseen sen lehtikuvista tutun radion ääreen. Juteltiin, Sibelius ja Mauno perheasioita, Maunon viime aikojen uutisia, Šostakovitšista ja Prokofjevista. Minullekin suunnattiin joku kysymys.

Visiitti ei ollut pitkä mutta ei lyhytkään. Oltiin käyty Sibeliuksen luona. Se ei siis ollut pelkkää kehumista Maunon taholta. Nyt mentäisiin Kotavuorelle. Siellä odottaisivat Otto Manninen ja Anni Swan.

Vuosi kului erilaisissa tehtävissä Kansallisteatterissa ja sen ulkopuolella, mieluisissa ja vähemmän mieluisissa.

Mieluisiin kuului Leenan Kallen pieni osa Nummisuutarien viimeisessä näytöksessä. Tulin aina teatterille vähän aikaisemmin katsomaan Uuno Laakson Topiasta. Kun Leenan Kalle sitten tulee näyttämölle hän pääsee parin pienen repliikin jälkeen istumaan lankkusillan alle ja seuraamaan tapahtumien kehitystä sekä Uuno Laakson näyttelemistä.

– »Eskon isolippunen lakki. Hän sai hattuni häihin . . . Huomaskos kanttoori miten nopeasti tämä temppu oli tehty Martalta? Kuin nuoli oli hän tässä, kuin nuoli takaisin tuvassa jälleen, ja sillä välin ehti hän tukistaa minua!»

Tuli sitten ilta jolloin Uuno äkkiä irtautui kesken repliikkien paikaltaan näyttämön vasemmalta puolelta. Hän käveli, hiukan toistpuolta niin kuin hänen tapansa oli, luokseni lankkusillan viereen. Sitten hän potkaisi minua takamuksiin kähisten: reagoi, perkele, ja nilkutti takaisin omalle paikalleen kuuntelemaan Eskon selityksiä onnettomasti päättyneestä naimamatkasta.

Esityksen päätyttyä ryntäsin näyttämön takana Uunon luo ja pyysin selitystä.

En saanut.

Vaatien oikeutta juoksin hänen pukuhuoneeseensa

suu päälaella. Hän palautti sen paikalleen jytisevällä korvapuustilla.

– Sinä perkele olet Sibeliuksen luona levennellyt, että Kansallisteatterin näyttelijät eivät ole oikein älykkäitä!

En oikein muista mitä sen jälkeen tapahtui. Kävelin kai vielä myöhään Kruununhaan katuja.

En ole päässyt siitä korvapuustista tähän päivään mennessä. Se on pitänyt itsetuntoni repaleisena.

Mitä oli tarvittu että Uuno Laakso saattoi tehdä korvani kuumaksi?

Ruth Snellman
näyttämön sivussa

Jean Sibeliuksen on täytynyt sanoa Aino Sibeliukselle vaikkapa näin:

– Minkä naskalin tämä Mauno on nyt saanut käsiinsä joka katsoo että . . .

Tai.

– Tämä tuntuu olevan taas joku Maunon kaikupohja tämä uusi kiharatukkainen, joka hänellä oli mukanaan . . .

Tai sitten hän vain sanoi tyttärelleen Ruthille, että sano niille tovereillesi siellä Kansallisteatterissa, että tämä nuorukainen puhuu mitä sattuu . . .

Nilkki!

En oikein tiedä mikä nilkki on. Tietosanakirja ei tunne sitä. Rantalevässä potkiva äyriäinen? Litteä ja kostea kiven alla? Yleensä selkärangaton?

Jean Sibeliuksen tytär Ruth Snellman ei koskaan osoittanut edes muistavansa tapahtunutta. Päinvastoin! Hän käyttäytyi aina minua kohtaan suurta lämpöä osoittaen. Hänen toverinsa ovat myöhemmin vahvistaneet asian. Olen kantanut tätä syyllisyyden kuormaa hyvin raskaana tähän päivään asti. Syntikö oli suuri vai sen tekemispaikka?

Tapasin Olli Mustosen Kuhmossa. Hän kertoi tavanneensa Lontoossa henkilön, joka oli nähnyt henkilön, joka oli nähnyt Beethovenin. Olli oli siis nähnyt silmät, jotka olivat nähneet silmät, jotka olivat . . .

Ainolassa minä näin Sibeliuksen.

Tietämättä mitä olin pannut alulle istuin ensin junassa ja sitten linja-autossa Kangasniemelle. Sieltä päästiin moottoriveneellä Kotavuorelle. Se oli tila, jonka Otto Manninen oli hankkinut vuosisadan alussa Puulaveden Rämiäisen saaresta. Sen korkeat rannat madaltuivat Mannisten kohdalla koivuja kasvavaksi kannakseksi. Itään nousevalla rinteellä kohosi hirsinen huvila ja kannaksen vehmaalle paikalle oli aikoinaan rakennettu vaatimattomampi talo, jossa kesäisin asui Maunon veli Antero. Hän on tehnyt elämäntyönsä Helsingin Yliopiston palveluksessa. Suuri kansa tuntee hänet parhaiten radion Herra X:nä.

Mauno oli varoittanut minua Otto Mannisesta. Hän ei ehkä avautuisi niinkään helposti. Jännitin tätä tapaamista ehkä enemmän kuin säveltäjämestaria aamupäivällä. Supliikkiahan minulla oli. Pelkäsin vain että tyhjänpäiväinen höpötys ei tässä tehoaisi.

Luonto tuli avuksi. Laatokan villistä saaristosta sain johdetuksi keskustelun Puulaveden saaren muotoihin ja geologiaan. Naru oli oikea. Otto Manninen innostui selittämään erikoisen saarensa geologista historiaa, hiekkakerrostumien syntyä ja niitä virtauksia, jotka olivat luoneet kannaksen jolla seisoimme.

Otto Manninen tiesi mitä puhui. Eino Leinon kanssa hän oli paita hiessä raatanut saaren luontoon puolitoistakilometrisen »professorin polun», jota Mauno mielellään sanoi kirjallisuushistoriallisesti merkittäväksi poluksi. Olisin kävellyt sen päästä päähän, mutta siihen ei jäänyt aikaa.

Tapaaminen koivujen varjossa oli onnistunut. Professori kertoi korjailleensa vanhoja Vänrikki Stoolin käännöksiään.

– Olisi hauska kuulla, mitä nuori polvi niistä ajattelee.

Otto istuutui tuvan pöydän päähän valkeassa kauluksettomassa paidassa, leuan alla kullanvärinen kaulusnappi, nenällä metallisankaiset, pyöreät silmälasit. Aurinko hohti hänen päälaellaan. Se kruunasi komean päänmuodon. Mieleen tulivat Sokrateen ja Platonin rintakuvat.

Tutkin siihen aikaan päänmuotoja koska Mauno oli tutkinut niitä. Jotakin oli kai tarttunut psykologian lukemisestakin yliopistolla.

Se oli hieno iltapäivä. Se jäi mieleen.

Mutta työ odotti. Talossa oli moottorivene ja Mauno halusi näyttää Puulavettä Laatokalta tulleelle vieraal-

leen. Vene oli sellaista vanhanajan raaserityyliä, pitkä, kapea silitysrauta jonka keulan piti veistää vedestä kaunis ja pitkälle kaartuva aalto. Sellaiset veneet sukeltavat sutjakasti pintaveden läpi.

Vene makasi vajassaan eikä se ollut aikoihin käynyt vedessä. Sen pohja muistutti enemmän reimaria kun moottorivenettä. Rakojen leveys oli melkein sentti. Moottori oli huoltamatta ja sen näköinen. Sain purkillisen liinaöljystä ja kalkista tehtyä tahnaa, eripaksuisia naruja ja vanhoja pöytäveitsiä. Liotettuani narut tahnassa työnsin niitä rakoihin maaten selälläni veneen alla. Mauno purki moottorin ja kokosi sen. Hän näytti mielellään kykynsä senkaltaisissa tehtävissä. Hänelläkin oli korkea arvosana matematiikassa.

Työ vei tasan ne päivät jotka Kotavuoressa vietin. Professorin polku jäi näkemättä. Turvottuaan yön yli vene piti vettä aamulla. Niin ehdimme kerran ajaa saaren ympäri ennen bussin lähtöä.

Pöystin perhe oli tietenkin huolissaan pojan uuden tuttavuuden vuoksi. Juoruileva ja kaiken tietävä sukulainen huomautti äidille, ettei suvussa vielä ollut esiintynyt varkaita eikä hinttareita. Äiti kertoi sen minulle kasvoillaan moniselitteinen ilme. Maunon kaltaiset ihmiset eivät sopineet pikkuporvarillisiin kuvioihin ja heidät koettiin uhkana.

Tilanne piti laukaista.

Mauno oli ollut Tukholmassa, jossa hänellä oli ollut näyttely. Kotiin tultuaan sai hän kutsun Pöysteille päivälliselle.

1.8.46.

– visiitti, jota on järjestetty pian puoli vuotta – ja pelätty. Pelätty Papan vuoksi. Hän on nimittäin ollut jollakin lailla mustasukkainen Maunolle, koska on huomannut hänellä olevan melkoisen vaikutusvallan minuun. Minä pelkäsin erikoisesti muutamia puheenaiheita ja varoitinkin Maunoa niistä. No – päivällinen syötiin, Mauno oli ollut syömättä koko päivän ja sai heti kärkeen ehkä hiukan liian monta snapsia, joten hän tuli melko lailla päihinsä. Hän istui sitten kai kuutisen tuntia täällä puoleen yöhön asti ja illan saavutus oli, että Papasta ja Maunosta tuli henkiystävät. Kuvaava repliikki oli Maunon lähtiessä: »Onhan se nyt kumma, jos ei tuosta Lassesta tule kunnon miestä, kun hänellä on kaksi sellaista opettajaa, kuin sinä ja minä», sanoi Pappa Maunolle. – Mamma suhtautui jonkinverran arvostelevasti, mutta se johtui luultavasti Maunon »tilasta». Sekin vaikutti pidättyvästi Mammaan, että Mauno rupesi esittämään perheelle että minun olisi otettava ratkaiseva askel naisiin nähden.

XVI

Syyskuun alussa oli Kansallisteatterissa Rattiganin komedian Ministerin rakastettu (Love in Idleness) ensi-ilta. Näytelmä oli jo esitetty Svenska Teaternissa nimellä Olivia. Siellä oli pääosia esittänyt kuuluisa ruotsalainen komediapariskunta Ernst ja Alice Eklund, Ruotsin Lynn Fontane ja Alfred Lunt. Kansallisteatterissa ministeriä ja hänen rakastettuaan esittivät Joel Rinne ja Ruth Snellman.

Osa oli minulle ensimmäinen näyttämökokemus salonkikomediassa ja miellytti kovasti. Olinhan nähnyt Svenska Teaternissa tämän laatuisia näytelmiä tosi mestareiden esittäminä. Erik Lindström oli ylittämätön Vihreässä hississä tai Rattiganin komediassa Rakastan sinua marakatti. Hänen kanssaan Birgit Kronström, Halvar Lindholm, May Pihlgren ja Märta Laurent. Onkohan Suomessa koskaan farssikomediaa esitetty niin herkullisesti kuin siellä silloin?

Arvelin että vihjaileva nokkeluus, pallon ilmassa pitäminen ja replikoinnin tarkkuus sopisivat minulle. Lapsena olin tosin aina toivonut »surullisia» osia. Mutta komediassa olisin kuitenkin kotonani.

Näytelmän tarina on tavallinen ja tavaton. Olivian poika Michael on ollut sodan ajan Kanadassa. Hän palaa sieltä juuri täysikasvuisuuden kynnyksellä ja tapaa ennen vaatimattomasti eläneen äitinsä loiston ja rikkauden keskeltä. Poika tajuaa, että avain uudenlaiseen elämäntyyliin on Sir John Fletcher, joka ei ole vain varakas vaan myös ministeri hallituksessa, jonka linja ei ollenkaan tyydytä Michaelia.

Hyvänkin idean lopettaminen on usein vaikeaa. Tämäkin näytelmä latistuu lopussa kun ministeri ja nuori »radikaali» löytävät toisensa – tyttöasioissa.

Tämänkaltaisten komedioiden suosio perustuu kai siihen että arkaluontoinenkin vyyhti käydään läpi liikoja moralisoimatta mutta kuitenkaan ongelmia peittelemättä. Käsittelytapa on pinnallista. Kohtauksissa joissa esitys tavoittaa aidon komediasävyn ihmiskuvaus voi kuitenkin kehittyä aidoksi, rikkaaksi ja todeksi. Eläköön hyvät komediat! Vaikka tämä ei kuuluisikaan niihin parhaisiin tuli siitä maailmanmenestys. Terence Rattigan on alan mestareita. Tekstiä oli ilo näytellä. Näytelmää esitettiin sitten tavan mukaan yli Suomen niemen. Monet teatterinjohtajanrouvat halusivat näytellä Olivian, ja olihan siinä teatterinjohtajallekin oiva rooli. Minulle järjestyi vierailuja siellä täällä. Nautin suuresti kun sain tulla tähtenä paikkakunnalle.

Joel Rinne ja Ruth Snellman olivat suurenmoisia minua kohtaan. Munaukseni Tuusulassa oli silloin vielä salattu minulta eikä päässyt vaikuttamaan yhteistyöhön.

Vilho Ilmari ohjasi. Hän oli sen ajan tärkein kouluttaja, Näyttömöopiston rehtori. Koulun ulkopuolellakin hän seurasi taimiensa kehitystä. En ollut opiston oppilas mutta sain silti saman huolenpidon. Parhaiten se tietenkin tapahtui näyttämötyössä.

Arvostelut olivat loistavat. Se merkitsi minulle paljon, koska nyt ottelin mitalisarjassa jossa piti pärjätä.

Lasse Pöysti esiintyi nyt ensimmäistä kertaa suuressa tehtävässä, jossa edellytettiin muutakin kuin kujeilevaa poikaviikaria – ja hän oli suorastaan ilmiö nenäkkäässä itsevarmuudessaan! Jos esiintyjiä lähtee erittelemään, on sanottava, että ilta oli Lasse Pöystin, jolle mielellään olisi antanut muutamia aploode-

ja ihan omiin nimiin. Filmi-ihmelapsiin epäilyksellä suhtautu-
va joutuu nöyrästi myöntämään, että ainakin Lasse Pöystissä
on ainesta, elleivät filmiherrat pääse häntä pilaamaan.

H.A. Vapaa Sana

Nyt olin yksi Kansallisteatterin näyttelijöistä, vaikka en vielä välikirjalla. Se johtui vain ahneudesta. Ansaitsin yksinkertaisesti paremmin vapaana taiteilijana. Se tuli kerran ilmi esityksen jälkeen.

Olin satuttanut etusormeni, joka sitten vihoitteli niin että siihen tehtiin pieni leikkaus. Haavaan pääsi kuitenkin likaa ja se paheni uudestaan. Ranteessa näkyi oikein kaksi »verenmyrkytyksen» juovaa. Kirurgilla ehdotettiin uutta leikkausta. Kello oli viiden, kuuden maissa iltapäivällä ja kohta alkaisi Ministerin toinen esitys. Katsomo oli loppuunmyyty arvostelumenestyksen jälkeen. Kysyin, ehtisinkö esitykseen. En ehtisi, sanottiin. Lisäksi kiellettiin koko esiintyminen sinä iltana.

Kaikki näyttelijät ovat joutuneet tämänkaltaisen ratkaisun eteen. Siihen aikaan mentiin näyttelemään. Ei täyttä katsomoa voinut jättää, ellei ollut ihan kuollut.

Ensimmäisen näytöksen näyttelin käsi mitellassa. Toisen näytöksen alkaessa olivat juovat jo vaaleammat. Esityksen jälkeen käsi oli terve.

Näyttelijöillä on kasoittain tarinoita siitä miten näyttämöllä paranee. Kiivaampi aineenvaihdunta, on tapana sanoa.

Olin kuitenkin ollut sairas. Joel Rinne tarjoutui ajamaan minut autollaan kotiin. Jopilla oli sellainen pieni pieni Fiat, sellainen Toppolino, johon juuri ja juuri saattoi kuvitella kahden ihmisen mahtuvan. Auto tuli kuuluisaksi teatteripiireissä sen jälkeen kun Jopi, Ansa Ikonen ja Edvin Laine olivat käyneet sillä kiertueella yli koko Suomenmaan.

Matkalla keskustelumme kiertyi talousasioihin. Pyynnöstä kerroin paljonko sain illalta. Esitysten lukumäärä oli tiedossamme. Totesimme että ansaitsin Kansallisteatterissa paremmin kuin Joel Rinne!

Haah haah haah!

Jopi mietti ja minä yritin miettiä hänen ajatuksiaan. Luultavasti arvasin ne ihan oikein. Päätin jatkaa vakituisena vierailijana. Ministerin rakastettu tulisi menemään kauan ja marraskuussa oli jo uusi näytelmä tulossa ohjelmistoon sen lisäksi.

Uusi teos oli Artturi Leinosen uutuusnäytelmä On vain yksi maailma. Nimi tarkoitti, »ettei ajan vierivä meno: historialliset murrokset, poliittisten ideologiain vaihtelut, kansalaisten eri suuntiin liikahtelevat yhteiskunnalliset harrastukset, etteivät ne saa rakentaa ylipääsemättömiä esteitä ihmisten yhteistoiminnan ja yhteisymmärryksen välille».

Senja Lehti esitti täysihoitolan emäntää, jonka mies oli sodassa ammuttu. Jalmari Rinne oli tuomari joka oli ollut mukana miestä tuomitsemassa, vaikkakin oli ollut oikeudessa vapauttavalla kannalla. Hänen osalleen lankesi näytelmän teesien ja julistusten esittäminen. Se ei ollut kiitollinen tehtävä. Tyyne Haarla, Vilho Siivola ja Aku Korhonen loivat taitavasti pikkukaraktäärejä. Pirkko Karppi ja minä edustimme nuorempaa sukupolvea. Näytelmä sai sekavan vastaanoton. Selvisin arvosteluista ehjin nahoin.

Kansallisteatterin suurella näyttämöllä koin ensi kerran teatterin myrkyn, sen hurman, sen ihanuuden.

Kontakti yleisöön – teatteri.

Kysyit esitykseen tullessasi näyttämöllä jo olleilta kavereilta: miten on? Kerrottiin että yleisö oli mukana, mutta että kuudennella rivillä, oikealla, oli penseä ryhmä. Näyttämölle päästyäsi oli siis heitettävä vahvoja repliikkejä sinne oikealle, keskilattian taholle. Ja useimmiten penseät pehmenivät kiitos henkilökohtaisen palvelun.

Tätä olen kertonut monet kerrat. Aina ne katsovat epäuskoisina.

Pariisissa, Sorbonnen yliopistossa oli julkinen väittely kahden jumalan kesken: Jean-Louis Barrault ja Jean

Ministerin rakas-
tettu. Joel Rinne ja
Lasse Pöysti.

Vilar. Teema: La communion avec le public. Yhteys
yleisön kanssa. En kokenut keskustelussa mitään uutta.
Vain vahvistuksen omille kokemuksille.

Marraskuussa 1946 sain ensimmäisen Jussin. Se ei
tosin ollut mikään varsinaisista palkinnoista vaan yli-
määräinen nuorten Jussi »erittäin kunnostautuneelle
nuorelle näyttelijälle – Suomisen Ollille eli Lasse Pöys-
tille». Yritin arvioida kuinka päin siihen piti suhtautua:
oliko tämä jokin ylimääräinen almu vai erityinen huo-

mionosoitus, josta oli syytä olla poikkeuksellisen paljon tyytyväinen? Valitsin jälkimmäisen vaihtoehdon.

Siihen aikaan suomalaiset elokuvat olivat tapauksia ja niin olivat tietenkin myös Jussi-juhlat. Nämä pidettiin Fenniassa. Leikittiin Hollywoodia. Palkitut olivat frakissa. Ohjaajapalkintoa ei jaettu, koska yhdenkään filmin ei katsottu taiteellisena kokonaisuutena nousevan riittävän korkealle.

Kansa seisoi ulkopuolella kuin itsenäisyyspäivänä Mariankadulla. Lainaan tähän Eevan kirjoitusta, koska se antaa kuvan tunnelmasta:

Mannermaiseen tapaan värjötteli Fennian edustalla ovien kahden puolen uteliaita, jotka halusivat nähdä ainakin välähdyksen tähtien koruista ja vaaleiden pukujen loistavat helmukset. Ja sisällä saleissa valoivat kuparilamput häkäisevää valoaan välittömän iloiseen yleisöön. Näimme tähtien rouvia ja tähtien miehiä, ja kuuluttaja poimi yleisön joukosta kuuluisuuden toisensa jälkeen. Sieltä ilmestyi parketille ensimmäinen naislentäjämme loistavan sinisessä iltapuvussa valtavat, valkoiset esprit-töyhdöt tukkalaitteessa, hollantilainen kuvanveistäjä, ruotsinmaalainen balettiohjaaja Julian Algo ja hänen naurava rouvansa upeine platinakettuineen, koko kansan suosikki pakinoisija Arijoutsi ja nyrkkeilijä Piitulainen. Kamerat sähähtelivät ja Jusseja jaettiin. Regina Linnanheimo sai Jussin parhaasta naispääosan ja Tauno Palo parhaasta miespääosan suorituksesta. Filmit olivat »Menneisyyden varjo» ja »Levoton veri». »Ah, mikä upea nainen», kuiskasi häikäistyneenä iltapukuinen mies, kun parhaan sivuosan suorituksesta Jussin saanut Rauha Rentola kultaisine koruineen leijaili hänen ohitseen. »Sulla on lapsen naama, eikä sinusta näyttelijää tule, mutta loistava ohjaaja» sanoi aamupuolella todenpuhujaksi ruvennut Hannes Häyrinen Lasse Pöystille, kumpikin oli saanut Jussin.

Pehmeällä, matalalla äänellä, kuin donnaansa kaipaileva novio, lauleli Tauno Palo suomalaista kaihoisaa piirilaulua. Minäkin rupean sitä nyt suruissani hyräilemään muistaissani että Jussijuhlat ovat olleet ja menneet.

Heloisa

Luin Tšehovin näytelmiä. Kirjan oli tällä kertaa pannut käteeni Erik Tawaststjerna. Siitä tuli melkein samanlainen ikuisen huonon omantunnon aihe kuin käynnistä Tuusulassa.

Toisin kuin Molièren näytelmät upposivat Tšehovin teokset minuun suoraan. Pidin kirjaa aina mukanani ja luin kun oli tilaisuutta. Mutta miksi kuljetin sitä polkupyöräni tavaratelineellä? Se oli kaunis ranskalainen nidos. Kun luovutin sen takaisin, se ei ollut ihan saman näköinen kuin saadessani sen. Syksy oli ollut sateinen. Jälkeenpäin olen yrittänyt löytää kirjaa Tawaststjernojen kirjahyllystä, tuloksetta.

Onkohan se ihan pantu sivuun?!

Yritin saada järjestystä Mauno Mannisen aiheuttamaan myllerrykseen minussa.

3.10.46.
. . . henkilö, joka oli muodostanut suhteensa elämään ja joka jollain tavalla täytti sen aukon, joka tuntemieni ihmisten joukossa oli. En pitkään aikaan, oikeastaan koko keväänä huolimatta tuttavuutemme melko suuresta lähentymisestä tuntenut minkäänlaista alkuakaan tasaveroisuuteen hänen rinnallaan. Hän oli minun silmissäni täydellisyys ja minä taas en ollut edes alkanut perehtyä mihinkään niistä aloista, joiden täydellisten hallitsemisten summa muodosti hänen persoonallisuutensa.

Ennen pitkää itsetunto alkaa särkyä. Niin käy välistä, kun on nuori.

17.2.47.
Luin eilen kaksi edellistä päiväkirjaani läpi. Jaksoin vielä puoliväliin tätäkin, mutta enempää en kestänyt. – Olenko minä tosiaan niin naivi. Onhan siellä »suuria» ja »yleviä» ajatuksia, mutta kellä ei niitä olisi. Mihin minä olen nuoruuteni kaikkein herkim-

mät vuodet käyttänyt! Mitä minä olen siltä saanut?! Onko se minua kehittänyt? Kaikki nämä vuodet olen minä käyttänyt itseni ylistämiseen, selittänyt poikkeavaisuuteni muista juuri siksi, joka tekee minusta suuren heihin verrattuna. Mitä hyötyä näiden vuosien aikana on kertynyt siitä, että olen pitänyt päiväkirjaa? Yhtä ja samaa, yhtä ja samaa kaikenlaisista tytöistä. Ja pahinta on se että sitä on jatkunut tähän päivään asti. Mitä minä opin siitä, että seikkaperäisesti kerron sinulle, miten saamaton olen naisten seurassa. Paljon enemmän valuuttaa minulla olisi nyt jos kaikki ne tunnit mitkä olen päiväkirjaa kirjottanut, olisin lukenut kirjallisuutta.

———

Minä olen ikätovereitani lapsellisempi. Se tarjoaa taas tilaisuuden lohduttaa itseäni: silloin kun muilta nuoruus loppuu, on minulla sitä vielä jäljellä, koskei todellinen ikäsi ole suhteessa vuosiin.

———

Olen nyt 20 vuotias ja jatkuvasti kaino nuorukainen, jolla ei koskaan ole ollut vakituista heilaa, ei yhtään kaduttavaa toilausta, jonka muistaisi, ei mitään, joka todistaisi, että minä olen jotain muuta kuin nahka-pussi joka heiluu tuulessa ja pelkää kastuvansa eikä sen vuoksi uskalla mennä puun alta pois.

Ajatus muuttamisesta pois kotoa alkaa kypsyä yhtenä ulospääsytienä.

23.2.47.
Tätä ei voi enää kauaa jatkua ilman että siitä koituu seuraukseksi jotain hyvin ratkaisevaa! Minä elän täysin edesvastuutonta elämää.
Kotoapääsyni järjestynee niin että luen ranskaa ja lähden puolentoista vuoden kuluttua sinne, muu minun on korjattava muuten jo ennen sitä. (Helppo sanoa: korjattava!)

Helmikuun lopussa oli Strindbergin Pääsiäisen ensi-
ilta. Samalla se oli Pekka Alpon jäähyväisohjaus. Tä-
män kaltainen näytelmä, täynnä monikerroksista tun-
nelmaa, oli Pekka Alpolle omiaan. Joskus hän saattoi
olla suorastaan koominen Kansallisteatterin harjoitus-
huoneessa myötäeläessään kiihkeästi näyttelijöiden
ilmaisun. Melkein kuin olisi kuullut hampaiden nars-
kumisen. Ruumis oli taaksepäin jännittynyt, lyhythihai-
set paidat saivat vanhan miehen käsivarren työntymään
kauas ulos takin hihanreiästä käden puristaessa baletti-
tankoa, jota vastaan ohjaaja nojasi selällään.

Tulos oli yleensä täyttä tavaraa.

Pääsiäinen ei ole niitä helpoimpia näytelmiä. Onnet-
tomuudet seuraavat toisiaan niin tiheässä tahdissa, että
kirjailija vaikuttaa pahanilmanlinnulta. »Sekin vielä!»
lienee monissa teattereissa lentävänä lauseena. Se on
Eliksen masentunut repliikki kun kaiken kauheuden

215

lisäksi tulee tieto siitä, että Benjamin on epäonnistunut latinan kirjoituksessa.

Ne, jotka osaavat tehdä tälle näytelmälle oikeutta, saavat aikaan vahvan illan. Niin kävi meidän: Pekka Alpon, Tauno Palon, Eeva-Kaarina Volasen, Ritva Arvelon, Tyyne Haarlan, Aku Korhosen ja Lasse Pöystin.

Minä olin Benjamin ja siinä sain nyt toivomani surullisen osan. Vastanäyttelijänä, Eleonorana, oli ensimmäistä kertaa Eeva-Kaarina Volanen, joka oli hiljattain tullut Kansallisteateriin.

Kohtaukset, joissa Benjamin ja Eleonora istuvat pöydän ääressä, olivat niin viehättäviä herkässä runollisuudessa, että sellaista kokee harvoin. Tätä nuorta koulupoikaa esitti Lasse Pöysti kauniin herkistyneellä tavalla. Eleonoran hänessä aiheuttama kirkastus suorastaan säteili hänen poikamaista mielenpuhtautta kuvastavista kasvoistaan ja luontaiset koomikonlahjansa, jotka Lasse Pöystillä ovat muodostuneet eräänlaiseksi koulupoikamaneeriksi oli hän onnistunut eliminoimaan vain muutamiksi, keskenkasvuisen pojan kuvaa elävöittäviksi piirteiksi.

K.V. Karjala.

Olin todella helpottunut arvosteluista.

Mauno oli yhä useammin Tukholmassa. Keväällä hän asui pappilassa parinkymmenen kilometrin päässä kaupungin keskustasta. Sinne hän kutsui kaikki pukit, myös minut.

Pappilaan kerääntyi sitten taiteilijaseurue, kaikki hyviä ystäviä: Erik ja Carmen Tawaststjerna, Isa ja Erwin Gripenberg, Mauno ja minä.

Siellä vietimme pari viikkoa. Iltaisin Erwin luki ääneen näytelmiään. Päivällä Isa tanssi eurytmiaa nurmikentällä auringonpaisteessa. Unohtumaton oli Isan esitys Tuonen viidasta. Se teki minuun sellaisen vaikutuksen, että kun sitten vuosia myöhemmin olin taiteilijaprofessori ja jouduin suunnittelemaan teatteripäivien ohjelmaa, ehdotin teemaksi teatteria sen normaalien rajojen ulkopuolella. Siellä nähty eurytmia-esitys ei tosin vetänyt vertoja Isan tanssille mutta muut alueet, kuten psykodraama saivat uusia kiinnostuneita harrastajia.

Isa oli muutenkin valtava tuttavuus. Hän sai päähänsä, että minut on saatava Ruotsiin. Ja heti paikalla. Isa tarttui puhelimeen ja soitti jonnekin: Täällä puhuu vapaaherratar Gripenberg. Minulla on täällä suunnattoman lahjakas jne. Ja sitten marssimme Kungsgatanille Sveriges Radion toimistoon, jossa itse Victor Sjöström otti meidät vastaan. Tapaaminen oli lämmin mutta lyhyt. Hän saattoi vain ehdottaa, että parhaani mukaan opettelisin riikinruotsia. Ilman sitä eivät portit avautuisi.

Tasan vuosikymmen tämän jälkeen muutti Lilla Teatern Tove Janssonin Muumeina yhdessä illassa suomenruotsin »suosituimmaksi kieleksi» siinä maassa. Sen illan jälkeen ovat näyttämöt ja studiot olleet avoinna Suomesta tuleville suomenruotsia puhuville taiteilijoille.

Kesän mittaan yritin vielä kirjeitse päästä opiskelemaan filmitekniikkaa Råsundan studioille, tuloksetta.

Ruotsi oli runsas maa. Kioskien hyllyillä oli monenmerkkisiä savukkeita. Keräsin rasioita oikein riviin ja mietin aina tarkkaan minkälaisen tupakan kulloinkin polttaisin.

Se taisi kyllä raivostuttaa Maunoa melkoisesti.

XVII

Kesä kului suureksi osaksi kiertueella Turun seudulla. Kysymyksessä ei ollut teatterikiertue vaan sirpaleohjelmaa sisältävä iltojen sarja. Olin mukana joko ahneudesta tai rahapulasta.

Asuin Naantalissa. Paras oli yöllinen pyörämatka sinne esiintymisen jälkeen.

Seurue esiintyi ainakin osaksi Turun kuuromykkäyhdistyksen hyväksi. Mukana oli kyvykkäitä taiteilijoita, useimmat amatöörejä. Mertsi Lehtonen soitti hanuria. Dolly Knutsson lauloi. Minä vedin niitä vanhoja vitsinpätkiäni.

Kiertueen vetonaula oli Leena Rintala. Hän oli myös ollut lapsitähti vaikka toisin kuin minä. Hänen elämäntarinansa oli erikoinen. Hän oli syntynyt Harbingissa, Mantšuriassa. Sinne oli tullut Rintala-niminen suomalainen joka adoptoi lastenkodista kolme noin kahdeksanvuotista tyttöä, niiden joukossa Leenan. Muut tytöt joutuivat eri puolille Kauko-itää, Leena temppelitanssikouluun Balille. Siellä hän sai vartaloonsa ja jäseniinsä balilaisen temppelitanssin liikkeet, samalla kertaa kulmikkaat ja suloisen pehmeät. Aikanaan Rintala toi tytön Eurooppaan, myös Suomeen. Sitten lapsi kiersi esiintymässä kaupungista kaupunkiin. Näin hänet Sortavalassa seminaarin juhlasalissa. Mieleen jäi ankara vakavuus pienen tytön kasvoilla.

Kiertueen pyrkimyksenä oli kerätä rahat pois katsojilta. Onnettomuudeksi homma oli huonosti hoidettu. Julisteet olivat usein mukanamme autossa kun tulimme esiintymispaikkakunnalle. Yleisöä tuli sen mukaan: talon vahtimestarin sukulaiset ja tuttavat. Aloimme jo pelätä palkkojemme puolesta.

Leena Rintalan mukana oli hänen aviomiehensä. Hän pani toimeksi. Hän otti selvää siitä mitä taloja oli vuokrattu missä ja milloin, miten ilmoitukset ja julisteet tuli hoitaa ja teki sitten kaiken tarpeellisen. Kiertue muuttui, jollei menestykseksi niin kuitenkin kannattavaksi ja mielekkääksi. Miehen nimi oli Tom Hertell. Hänen uransa alkoi tuolloin. Nyt hän on huomattavimpia impressaarioitamme.

Tallella on arvostelukin Korppoon saarelta. Kirjoittaja on kovin tyytyväinen näkemäänsä, erittäinkin Leena Rintalan ja minun osuuksiin. Arvostelussa minua kutsutaan »Suomi Lasseksi» joka tavallaan on lähempänä totuutta kuin Suomisen Olli.

Esiinnyimme myös Kakolassa, vankilan kirkossa, yleisönä pyttytuomion saaneet vangit. Ensimmäistä kertaa pyttyläiset saivat nähdä naisen tanssivan talossaan. Vartijoita oli runsaasti. Kaikki sujui kuitenkin vaikeuksitta.

Olin ensimmäistä kertaa vankilassa. En tiennyt, että niihin kuuluu latriinin haju. Katselin ikkunasta pihalle. Laajalla kentällä käveli kolme vankia rinta rinnan yksi, kaksi, kolme, neljä, viisi, kuusi askelta ja käännös. Sitten taas yksi, kaksi, kolme . . . Kysyin vartijalta oliko tämä jokin rangaistus.

– Ei, sanoi hän, se on sellin pituus.

Olimme kovin hiljaisia kun portti kolahti takanamme. Suurissa ikkunoissa vilkuttivat vangit kaltereissa roikkuen.

– Kyllä ne on söpöjä, sanoi Dolly Knutsson.

Kansallisteaterissa oli huomattu, että minusta oli tullut heille suhteettoman kallis taiteilija ja lempeästi annettiin ymmärtää, että nyt sopisi kirjoittaa tarjotun sopimuksen alle. Lehdet saattoivat sesongin alkaessa

kertoa että olin nyt päässyt Kansalliseen oikein sopimuksella.

Toisin kuin Svenska Teaternissa oli Kansallisteatterissa aito teatterin tuntu. Suuri osa sisustuksesta taisi olla alkuperäistä. Näyttelijälämpiön kalustus oli tummanvihreätä nahkaa. Ehkä se ei ollut niitä kaikkein mukavimpia mutta toi mieleen Strindbergin näytelmät. Toisessa lämpiössä, jota kutsuttiin penseiden huoneeksi oli kaunis jugend-kalusto.

Näyttelijöiden pukuhuoneissa oli pitkä maskeerauspöytä kolmelle. Näyttelijöitä ei kuitenkaan riittänyt kaikkiin paikkoihin. Niinpä monet pitivät pienet talkoot pukuhuoneessaan. He sahasivat yhden pöydistä pois, sijoittivat jäljelläolevat vastakkain ja jakoivat huoneen väliseinällä kahteen osaan. Vähän tapetteja ja kuvia seinille ja niin oli valmiina viihtyisä koti jossa oli seurustelupuoli ja työlle pyhitetty osa.

Näytäntöjen jälkeen ei kukaan ajanut pois talosta vaan sinne miellyttävään pukuhuoneeseen saattoi jäädä kollegojen kanssa keskustelemaan tärkeistä kysymyksistä. Lähempänä puoltayötä tuli vanha ystävällinen yövahti koputtamaan ovelle ja istui hetkeksi seuraan. Hän taisi olla 80-vuotias ja tuntui heräävän eloon jostakin köysivintin sokkeloista.

Vanhempien näyttelijöiden pukuhuoneet olivat alimmissa kerroksissa. Me nuoret saimme kivuta katonrajaan. Siellä oli myös peruukkimestari Hannes Kuokkasen työhuone, seinät täynnä päänahkoja. Sinne sopi mennä juttelemaan.

Talossa leijuivat teatteriin kuuluvat tuoksut: liimavärit, peruukkiöljyt, vanha puu ja hamppuköydet. Sitä paitsi siellä vallitsi arvokas suomalaista kulttuuria kunnioittava henki. Joukossa oli vielä näyttelijöitä Bergbomin, Adolf Lindforsin ja Axel Ahlbergin ajoilta. Entisiin aikoihin oli jäljellä elävä silta. Osattiin kunnioittaa sitä työtä, millä tämä suomenkielisen kulttuurin tukikohta oli luotu Rautatientorin laidalle. Jotkut taiteilijoista olivat elävää teatterihistoriaa, Helmi Lindelöv, Jussi Snellman, Matti Waren, Karl Fager ynnä monet muut. Yksi kerrallaan he pitivät jäähyväisnäytäntönsä.

Oli suurten näyttämöauktoriteettien ryhmä, Aku Korhonen, Uuno Laakso, Yrjö Tuominen, Ruth Snellman. Heidän pelkkä läsnaolonsa näyttämöllä riitti täyttämään sen.

Oli keski-ikäisten ryhmä ja sitten me nuoret, jotka huulta purren odotimme roolilistoja. Olisiko siellä jotain, jossa saisi näyttää mihin pystyy, ennen kuin ne panevat pois – näyttöjen puutteessa.

Silmät meikattiin puoliksi poltetulla tulitikulla. Se oli tärkeä instrumentti ja sen salaisuuksiin vihittiin vakavin naamoin. Sillä vedettiin vahvat mustat viivat silmien ylä- ja alapuolelle. Silmän sisäkulmaan piirrettiin pieni valkoinen piste. Se sai aikaan kiiltoa katseeseen. Jos näyteltiin välimerenmaalaisia joihin kaikki ranskalaiset luettiin, piti käyttää yhdeksikköä. Se oli niin punaruskea väri, että näyttelijät vaikuttivat, elleivät mulateilta niin ainakin vahvasti kuumeisilta.

Irtonenät olivat suosiossa. Ne tehtiin nenäkitistä ja irrotettiin esityksen jäkeen ohuella rihmalla. Valmiina liimattaviksi seuraavaan esitykseen. Luultiin, että ne olivat hyödyksi taiteellisessa mielessä.

Ja lentävä ohje oli: älä katso vastanäyttelijää silmiin. Katso silmien väliin, nenän ylärajaan. En koskaan ymmärtänyt, miksi.

Konfliktejakin tietysti syntyi. Ne ratkaistiin suomalaisella tavalla.

– Lasse! Tekisi mieli puhua vähän. Onko vähän aikaa harjoituksen jälkeen? Mulla on pullo.

Sitten mentiin pukuhuoneeseen. Kumpikin istuutui peilinsä ääreen. Edessä kaksi juomalasia, toisessa viinaa, toisessa limua.

– Hei!

Viinalasin sisällyksestä häipyi kolmannes. Sitten leyhyteltiin polttavaa kitalakea kämmenellä kunnes toinen käsi toi vilvoittavan limun.

– Hei taas!

Samat temput. Hiljaisuus jatkui.

– No, hei!

Leyhyttävä käsi ja limun vilvoittava lorina.

Nyt oli aikaa ja viinaa kulunut riittävästi. Tunnelma oli valmis.

– Kuule, mitä sä oikein tarkoitit perjantaina, kun sä puhuit kuminaamaisesta miehestä? Minäkö se olin, vai kuka?

Valitettavasti einoleinomainen alkoholinkäyttö oli yleistä. Vahvaakaan känniä näyttämöllä ei pidetty juuri minään. Sattui että kaverit kantoivat veljen näyttämölle, pitivät häntä pystyssä ja jakoivat hänen repliikkinsä kunnes sankari pystyi ottamaan roolinsa johdattelun omalle vastuulleen.

Epäkohtaan puututtiin myöhemmin ankarasti ja tyyli muuttui täysin.

Murheellista oli että klassisten näytelmien harjoituksiin mennessään teatterin näyttelijät vetivät ylleen korkealentoisen olemuksen joka armotta kuihdutti kukat. Klassikkoja ei pidä esittää kirjallisuutena. Kirjallisuuden paikka on hyllyissä, teatterin paikka on katsojan sylissä. Valitettavasti Kansallisteatterin suurenmoiset näyttelijät usein esittivät klassikkoja tärkeästi.

Sain näppylöitä jo lukuharjoituksissa kun kuulin replikoinnin tyhjän juhlallisen sävyn.

Oli poikkeus. Kalima ja Tšehov. Jo näyttämön käytävään tullessa vaistosi, että Kalima harjoittelee. Näyttämön oven avasi varovammin.

Ensimmäinen tehtäväni vakinaisena näyttelijänä oli Anja Vammelvuon näytelmässä Loistohuoneisto. Osa oli hyvin pieni. Oli jo tullut tavaksi että Pirkko Karppi ja minä esitimme nokkelia nuoria. Minua arvostelijat tuskin mainitsivat mutta kun sen tekivät, puhuivat »hänelle ominaisesta» reippaudesta tai »tuttujen reippaiden linjojen noudattamisesta».

Näytelmä kertoi boheemiperheestä, jonka huoneenvuokralautakunta oli sijoittanut upeaan patriisiasuntoon. Erehdys oli sitäkin suurempi kun kaikki perheen jäsenet olivat vannoutuneita kommunisteja. Perheenpää, nelissäkymmenissä oleva ministeriehdokas oli eräänlainen traagiseksi hahmoksi muuttunut naisten hurmaaja, jolla oli samanaikaisesti vähintään kolme naista kierroksessa. Näytelmä oli hauskasti kirjoitettu eroottinen komedia. Mitä poliittinen aines siinä teki jäi vaikeaksi ymmärtää. Tekstiä sanottiin avainnäytelmäksi. Sen yhteydessä muodostui taas kestävä ystävyyssuhde kirjailijan kanssa. Anja Vammelvuon kautta tutustuin myös Jarno Pennaseen, Alpo Vammelvuohon, joka silloin oli teatterikoulussa, ja Eila Pennaseen.

Lokakuussa tuli parrasvaloihin Jean Anouilhin balettikomedia Varkaiden tanssiaiset.

Anouilh oli kirjoittanut näytelmän jo nuorena, 22-vuotiaana. Hän halusi osoittaa bulevarditeattereille, että hauskan näytelmän voi saada aikaan muistakin aineksista kuin tavanomaisesta kolmiosta. Antigonen maailmanmenestyksen jälkeen tämä kevyt komedia kulki sen jälkiä seuraten.

Näytelmässä englantilainen Lady Hurf (jota esitti Ella Eronen) on saapunut Vichyn kylpylään ja päättää pitää hauskaa vielä kerran elämässään. Kaupunkiin on tullut myös kolme varasta, jotka Lady kiinnittää palvelukseensa. Kaikilla on tietenkin mielessä omat juonensa. Varastrio vaihtaa pukuja ja naamioita niin tiheään etteivät aina edes tunne toisiaan vaan varastavat väliin kaveriltakin. Lady Hurf vaikuttaa aluksi pelkältä vanhalta hupsulta, mutta paljastuukin lopulta henkilöistä älykkäimmäksi, elämän ja ihmisten tuntijaksi. Kaksi rakastavaista saavat toisensa, kun taas veijarit joutuvat poistumaan nolattuina. Tilanteet vaihtuvat näytelmässä yhtä mittaa. Hetkeäkään ei voi olla varma siitä mitä näyttämöllä väitetään. Lyhyesti: hyvin hauska näytelmä.

Kolmea varasta esittivät Uuno Laakso, Tauno Palo ja minä. Näytelmässä on myös nuori tyttö, eksistentialistisesti puhdas ja vilpitön. Hän rakastuu nuorimpaan varkaaseen, Gustaveen. Häntä esitti Eeva-Kaarina Volanen.

Eino Kalima ohjasi. Esityksestä tuli maukas, hauska ja rytmikäs. Anouilh on kirjoittanut näytelmään myös osuuden baletille. Sen sijasta tanssi Anitra Karto lystikkään huilistin, joka hyvin säesti näyttelijöitä siinä missä Anouilh oli ajatellut baletin sen tekevän.

Esitys sai loistavan vastaanoton. Kaikki kehuttiin, näytelmä, ohjaus, lavastus, puvut, näyttelijät – mutta ei minua. Kun katselen kuvaa Eeva-Kaarinasta ja minusta näen selvästi jäykkyyden, väkinäisen yrittämisen ja epävarmuuden hartioissa. Arvostelusitaatit eivät ole innostavat vaikkakaan eivät myöskään ilkeät:

Varkaiden tanssiai-
set. Lasse Pöysti ja
Eeva-Kaarina Vo-
lanen.

LP nuorena rakastajana hoiteli asiansa tunnustettavalla välit-
tömyydellä, vaikkakin komedian yleistyylin huomioonottaen
olisi ollut paikallaan pienempikin »asillisuus», mutta sitä
alleviivatumpi »runollisuus».
LP:n Gustavessa olisi toivonut ilmenevän hiukan luonteik-
kaampia hurmurin otteita, mutta esitys antoi kuitenkin tyydyt-
tävän käsityksen osasta.
LP:ssä on, varsinkin rakastajanpuuhissa, vahvasti sitä jo liian
tutuksi tullutta Pöysti-poikamaisuutta.

Vaikka arvostelijat olivat ystävällisiä, tiesin tarkalleen
mitä he tarkoittivat. Tiesin, koska tunsin sen nahoissa-
ni. Tiesin myös miksi.

Hyvin kipeää teki sitten Teatterilehdessä ollut lähe-

225

tetty kirjoitus. Haukuttuaan ensin Ritva Arvelon jatkaa kirjoittaja:

Toinen aina vain kehuttu on ollut LP. Luulenpa sentään tämän nuoren miehen itsekin oivaltavan »Varkaiden tanssiaisten» jälkeen, että Suomisen Ollina hän pysyy. Tarkkasilmäinen katsoja kyllä huomaa, että hänessä ei ole leveyttä eikä huumoria koomikoksi eikä tunteen hehkua rakastajaksi. Luonteva replikointi ja eräänlainen rehvakkuus ja piittaamattomuus eivät ole riittäviä edellytyksiä eteenpäinmenoon teatterialalla.

Kun kommentoivassa kirjoituksessa myöhemmin epäiltiin kirjoittajaa kateelliseksi teatterilaiseksi, vakuutti lehti, ettei niin ollut asian laita.

Ensin tulivat vihjaukset siellä täällä, sitten epäonnistuminen suuressa roolissa ja sitten näihin viittaava teilaus. Olin kovin allapäin. Opin Teatterilehden sanamuodon ulkoa, halusin tai en.

Tietysti sitä aina yrittää selittää ja panna vastaan. Kirjeestä Mauno Manniselle 16.11.47.

. . . yleensä minua pidettiin liian nuorena osaani. Minä olin tosin käsittänyt Gustaven melkeinpä vieläkin nuoremmaksi, missään tapauksessa en miksikään hurmuriksi ja ammattiviettelijäksi ja suurimman osan harjoituksista minä noudatinkin sitä linjaa, kunnes Kalima pari päivää ennen kenraaliharjoituksia pyysi minua muuttamaan tyyppiä vanhemmaksi ja rauhallisemmaksi. Minä en halua inttää härkäpäisesti vastaan, vaan myönnän avoimesti, että osan olisi voinut tehdä paljon paremmin. Katkerinta on sittenkin se, että harjoitusten aikana minä todennäköisesti annoin vapaat kädet vanhalle maneerilleni: pyrkimykselle olla söötti ja vaikuttaa sen kautta katsomon naisiin. Ja se on paha. Tule, katso ja sano. Sitäpaitsi on minun maskini epäonnistunut; minä käytin kastanjanruskeata peruukkia jolloin ilmeni, että minun on mahdotonta esiintyä muulla kuin omalla tukallani osissa, jotka eivät ole yksinomaan koomillisia. Minulla on jonkinlainen ihmeellinen päänmuoto, jossa mitta otsasta niskaan on viisi senttiä normaalia suurempi, ja kun ajattelet, että minun on vielä peruukin alle sullottava hirvittävän paksu tukka, käsität hyvin, että minun pääni näyttää jonkinlaiselta patologiselta vesipäältä jollaisia tietääkseni esiintyy vain riisitaudin yhteydessä. Vielä oli minun pukuni minulle tärkeimmässä seenissä hirvittävä. Erikin mielestä minä muistutin siinä lähinnä hotellipiccoloa. Se oli teatterin puku, jota minä yritin saada edes jossain määrin korjattua, mutta sain vain ompelimon raivon päälleni. Itse minä en omista muuta kuin ne, jotka yleisö jo on nähnyt Ministerin rakastetussa, ja sitäpaitsi piti puvun olla kaksikymmentäluvun kuosia. Erik puhui kuitenkin Kaliman kanssa ja minä vein erään pukuni puhdistettavaksi ja värjättäväksi, Tawaststjernat tarkastivat sen ja sitä höystettiin vielä värikkäillä liinoilla ja tennistossuilla. Päätettiin että minä jätän kolmannesta näytöksestä lähtien peruukin pois ja yritän uudelleen.

Kaikki tämä kerrottiin Kalimalle. – Olen kuullut Erikin kautta henkilöiden, jotka ovat nähneet näytelmän toisen kerran, olleen aivan samaa mieltä.

Selitykset ovat selityksiä. Hyvä kuitenkin, ettei jää murehtimaan vaan yrittää parantaa tulosta. Masennusta ei mikään kuitenkaan poistanut. Se että epäonnistuminen tapahtui nimenomaan ensimmäisessä rakastajan roolissa, sai itsetunnon leviämään kuin hajonnut hernepussi. Ajatus: ai se näkyy näyttämölläkin, vaivasi tuskallisesti.

Onhan tunnettua että näyttelijät helposti unohtavat hyvät arvostelut mutta huonoja – ei koskaan.

Suunnittelin lähtöä maaseututeatteriin, jossa jou-

Ihmisvihaaja.
Alceste Joel Rinne.

tuisin näyttelemään kaikenlaista, minulle sopivaa ja so-
pimatonta. Siellä saattaisin kuvitella kehittyväni.

Ilman ranskalaisen teatterin ennen mainittua ensi-
iltaa joulukuussa olisi näytäntökausi 1947–48 ollut pel-
kästään ikävä.

Tammikuussa esitettiin lastennäytelmänä Topeliuk-
sen Totuuden helmi. Kiltteinä lapsina Pirkko Karppi ja
minä, kuinkas muuten. Arvostelut olivat hyvät sekä
esityksestä että minusta, mutta minkä sille voi että kiltit

roolit ovat ikäviä näytellä. Kadehdimme joka esityksessä Pirkon kanssa kavereita, jotka saivat olla tuhmia ja pitää hauskaa.

Kevään kuluessa ohjasi Eino Kalima Molièren Ihmisvihaajan, jossa sain pienen palvelijan osan, Du Bois'n.

Sitä teki ihan mielellään pelkän farssisisääntulon vuoksi. Juoksin hätäpäissäni näyttämölle, kompastuin heti ovella, lensin kaaressa keskilattialle ja liu'uin sitten sananmukaisesti turvallani ramppiin näyttämön toisella puolella. Sellaista on hauska tehdä. Muutama repliikki ja ulos! Kiitoksia ei tarvinnut jäädä odottamaan vaan sai painua vaikkapa elokuviin.

Tarmokkaista tarmokkain Tutu sai ranskalaisella ryhmällään toukokuuksi aikaan toisenkin kokoillan ensiillan, komedian George et Margaret. Tekijöinä muka kirjailijapari Sauvajon-Wall. Ritva Arvelo ja minä saimme kiittäviä lausuntoja. Sanottiin meidän mukanaolomme tuoneen esitykseen teatteria muistuttavia piirteitä. Uusi Suomi kehuu jopa replikointia. Hans Kutter tietysti väittää kielen aiheuttaneen vaikeuksia. Sanokaamme, että hän oli pahalla tuulella.

XVIII

Seuraava näytäntökausi ei alkanut hyvin. Kohta syyskuun alussa antoi Uuno Laakso korvapuustinsa. Sen jälkeen koin asemani teatterissa muuttuneeksi.

Teatterissa alkoi muutenkin uusi kausi. Arvi Kivimaa, joka oli Kansanteatterissa ollessaan saanut mainetta anglosaksisella ohjelmistollaan, oli nimitetty Kansallisteatterin uudeksi pääjohtajaksi. Hän muutti taloon tutustumisvuodeksi. Kalima isännöi vielä johtajan huoneessa. Kivimaalle rakennettiin lavastevarastoon pieni koppi kovalevyistä. Siellä hän otti vastaan ja siellä suunnitteli tulevaa ohjelmistoaan.

Mauno Mannisen ja Kivimaan välit kärähtivät pohjaan heti. Mauno syytti Kivimaata intrigoinnista Kalimaa vastaan ja paljosta muusta. Ruotsissa ollessaan Mauno oli seurannut Alf Sjöbergin ja Olof Molanderin harjoituksia ja kiinnostunut voimakkaasti teatterista. Kalima oli luvannut, että hän saisi ohjata Kansallisteatterissa Max Frischin näytelmän Kiinan muuri. Mahdollisesti Mauno kuvitteli itselleen jonkinlaista tulevaisuutta maan päänäyttämöllä. Se olisi saattanut olla mahdollista Kaliman avulla mutta tuskin Kivimaan ollessa ohjaksissa. Maunollahan ei ollut minkäänlaista aikaisempaa näyttöä eikä kokemusta alalta.

Hänen hyökkäyksensä Kivimaata vastaan olivat rajuja ja julkisia.

Maunon ja minun välit eivät nekään olleet kunnossa. Ystävyys oli selvästi väljähtynyt. Maunon puolelta.

Päiväkirja väittää, että välien löystyminen olisi tapahtunut jo kevään kuluessa. Syksyllä oltiin muka tuskin tuttavia läheisemmät.

?.1.49.

. . . Hän pitää minua keskinkertaisena ja sovinnaisena. Jostakin syystä, juuri kun kaikki oli katkeamaisillaan, syntyi kontakti, jollaista ei koskaan aikaisemmin ole esiintynyt. Ennen oli hän jumala ja minä oppilas. Mitä hän sanoi, sen minä uskoin sellaisenaan, en väittänyt, enkä pystynytkään väittämään vastaan. Vuoden aikana tuskin tämän kaltaiseen ajatustenvaihtoon oli tilaisuuttakaan, mutta sensijaan saatoin irtautua hänen vaikutusvallastaan ja katsella häntä ulkoapäin, en enää hänen omin silmin. Tästä syntyi luonnollisesti kritiikkiä, joka kuitenkin tunnusti kaikki ne suuret ansiot ja arvot, joita hän harvinaisessa määrässä omaa. Hyvänä apuna on ollut Erik Tawaststjerna, Maunon paras ystävä, jonka luottamuksen minä olen voittanut, ja joka minulle on valaissut mysteeriota: Mauno.

Sama Sauvajon-Wallin komedia, jonka Compagnie d'Amateurs du Théâtre Français oli esittänyt keväällä, tuli nyt Kansallisteatterin parrasvaloihin nimellä Salaperäiset vieraat. Nyt kirjoittajaksi mainitaan Gerald Savory. Hän lienee näytelmän oikea isä. Ranskalaisen tavan mukaan kääntäjät olivat käsitelleet näytelmää vapaasti, tehneet siitä ranskalaiseen tapaan sovituksen, ja pistäneet omat nimensä tekijöiksi.

George ja Margaret ovat kaksi ikävystyttävää ystävää, jotka näytelmän joka näytöksessä ilmoittautuvat vieraisille – eivätkä koskaan tule. He taustanaan elää elämäänsä Brownien perhe. Siinä kaikki.

Arvostelijat totesivat näytelmän pinnalliseksi – ja repivät vaatteensa ihastuksesta. Niin kuin tekivät jo ranskankielisen version jälkeen. Mukana olivat Ruth Snellman, Rafael Pihlaja, Eeva-Kaarina Volanen, Matti Oravisto, Kirsti Ortola, Tarmo Manni ja Rauha Rentola. Kaikille mukanaolijoille, myös ohjaaja Vilho Ilmarille, jaettiin lehdissä runsaasti ruusuja.

Joku väittää minun »vasta nyt löytäneen itseni», joku katsoo osasuoritusta »kypsimmäksi saavutukseksi».

Lasse Pöysti oli nyt ensimmäisen kerran saanut Dudleynä osan, jossa hänen näyttämölliset lahjansa pääsivät putkahtamaan elävään ilmaisuun hänelle luontaisessa nuorukaishahmossa, jonka hän elävöitti todella sekä notkean taidokkaasti että koko olemuksellaan tehtäväänsä antautuen. Hän näyttää huomattavasti kehittyneen, ilmaisultaan vapautuneen ja sanailutaidoltaankin päässeen pitkän askeleen eteenpäin. Frankien vastapelurina hänen Dudleynsä loi oikeata räjähtelevää nuoruutta lavalle.

H. J-nen

Jalkasen arvostelu oli tietysti mieleen. Vähän harmittivat kuitenkin sellaiset ilmaukset kuin »ensimmäisen kerran». Eikö se Ministerin rakastettu kelvannutkaan?

Syksyllä tuli elokuvateattereihin Edvin Laineen ohjaama elokuva Ruma Elsa. Se perustui Arijoutsin menestysnäytelmään. Siinä Elsa jota kaikki pitävät mahdottoman rumana kostaa panettelijoilleen vamppaamalla heidän miesystävänsä.

Tarina oli minusta vastenmielinen ja sen ainekset yksinkertaista laatua. Eeva-Kaarina Volasen loistava osasuoritus valoi juttuun kuitenkin inhimillistä lämpöä ja teki sen ainakin osittain ymmärrettäväksi. Eeva-Kaarinan ainoa virhe oli, ettei hänestä saa rumaa millään.

Minulla oli Usko Aamusen osa. Usko oli Elsan yliopistotoveri ja uskomattoman saamaton naisasioissa. Sehän sopi minulle. Osa oli kuitenkin yhtä uskomattoman vaikea saada pysymään uskottavana. Eeva Kaarinan kanssa oli kuitenkin hauska tehdä työtä ja Edvin Laine loi voimallaan turvallisuuden tunnetta studioon. Puuhasta jäi lämmin ja miellyttävä muisto.

Salaperäiset
vieraat. Matti
Oravisto, Rafael
Pihlaja, Eeva-
Kaarina Volanen,
Lasse Pöysti ja
Ruth Snellman.

Kuin maanjäristyksen kaukainen, jatkuva murina väritti tulossa oleva Kiinan muuri koko syksyä. Maunon koko monisärmäinen persoona levittäytyi yli kaupungin. Hän käänsi näytelmän itse. Hänen käännöksensä olivat yleensä loistavia. Repliikit sopivat suuhun ja sisälsivät sanoina vain oleellisen. Ne pakottivat näyttelijän täydentävään ilmaisuun. Roolihenkilön ajatukset pääsivät pintaan. Joskus Mauno lyhensi repliikkejä niin paljon, ettei niitä voinut esittää ilman kääntäjän antamaa selostusta sisällöstä. Sen jälkeen ne kyllä toimivat erinomaisesti.

Esityksestä piti tuleman ennennäkemätön tapaus. Ja niin siitä tulikin.

Mauno sai läpi kaiken mitä hänen mielikuvituksensa tuotti.

Esityksiin tarvittiin musiikki. Sen säveltäjäksi pyydettiin Einar Englund. Siitä tuli suurenmoinen.

Musiikkia tanssimaan piti olla baletti. Vain paras kel-

233

pasi. Jollakin keinolla Mauno sai lainaksi neljä tanssijatarta Kansallisoopperan baletin parhaasta päästä, Doris Laine etunenässä.

Vallankumouskohtaukseen tarvittiin »suunnaton» määrä avustajia. Kun sellaisia ei ollut, Mauno soitti Santahaminan komendantille ja sai muutamia kymmeniä sotilaita, jotka sitten juoksivat ympyrää näyttämöllä. Kun ympyrän takaosaa ei näkynyt, vaikutti joukko valtavalta.

Koska Maunolla ei ollut näyttämötyöstä kokemusta, autoin häntä ensimmäisten asemien suunnittelussa. Työskentely sujui erinomaisesti. Tietysti välillä huudettiin, paiskittiin ovia, lähdettiin pois ja tultiin takaisin.

Samalla huomasin, että tilalleni Maunon elämään oli tullut uusia suunnattoman lahjakkaita »oppilaita», jotka sitten aikanaan tekivät tilaa uusille.

Kiinan muuri oli fantastinen näytelmä. Sitä sanottiin surrealistiseksi. Se tapahtui Kiinan muurin rakentamisen aikana mutta henkilöluettelosta löytyivät silti Kleopatra ja Don Juan, Seinen tuntematon ja Napoleon, Kiinan keisari ja Kolumbus sekä koko joukko muita historiallisia henkilöhahmoja. Päähenkilö on nuori kiinalainen runoilija Min Ko joka vaeltaa tässä mielikuvitusmaailmassa ja nostaa näytelmän lopussa kansan kapinaan keisaria vastaan..

Eräs näytelmän ajatuksista oli, että vapaan yksilön on vaikea ellei mahdoton vaatia oikeuksiaan aina diktatoriseksi kääntyvässä kollektiivissa. Teksti sisälsi satiireja, aforismeja ja lemmensuhteita. Siitä oli katsojan hyvin tuskallista saada selkeää kuvaa.

Minulla oli pieni kidutetun kulin rooli. Sain siihen Maunolta roolianalyysin: henkilö joka rakastaa niitä, jotka tahtovat hänelle pahaa ja välttää niitä, jotka yrittävät hänet pelastaa. Sen perusteella oli helppo työskennellä.

Eräässä kohtauksessa tein ensimmäisen (ja luultavasti ainoan) kerran sellaista, jota voisi kutsua akrobatiaksi. Laahauduttuaan tuskissaan yli näytämön kuli heittäytyy roikkumaan matalan kaiteen yli. Siihen tulee hänen äitinsä. Äidin kosketuksesta poika heittäytyy etukumarasta asennostaan suoraan selälleen maahan. Silvotuista käsistä ei ole apua. Yritin temppua harjoituksissa kuitenkaan uskaltamatta. Pelkäsin lyöväni pääni. Mauno ehdotti jo siitä luopumista kun kenraaliharjoituksetkin olivat menneet tulosta vailla. Ensi-illassa olivat kai muut pelot suurempia koska temppu onnistui ja sen jälkeen myös joka esityksessä.

Arvostelijat myönsivät tekstin mielenkiintoisuuden mutta valittivat sen vaikeaselkoisuutta. Ohjaaja ja näyttelijät saivat kaikki poikkeuksetta ylistäviä mainintoja. Monella tavalla uudenlainen näytelmä ja sen dynaaminen esitys saivat aikaan suuren innostuksen niin näyttämöllä kuin katsomossakin. Uhkarohkea yritys oli todella onnistunut.

Usko Aamunen elokuvassa Ruma Elsa.

Mykän kiinalaispojan esittämiseni palkittiin myös kiitoksin arvosteluissa. Erityisesti ylistettiin miimisiä taitoja, joita pidettiin minussa uusina. Joku lehti kutsuu suoritusta tähän asti parhaakseni.

Arvostelumenestystä seurasi myyntimenestys. Kaikki Kiinan muurin esitykset olivat loppuunmyytyjä. Kun uusista esityksistä ilmoitettiin, syntyi Rautatientorille jonoja. Kiinan muuri oli kaupungissa tapaus.

Satuin eräänä päivänä kulkemaan näyttämön takana sijaitsevan kulissivaraston läpi. Näin siellä lavastemiehen korjaamassa lavastuksen kiinalaista lyhtyä. Niin luulin. Menin kysymään, mikä siinä oli vikana.

Kiinan muuri.
Kirsti Ortola ja
Lasse Pöysti.

– Ei tässä mitään vikaa ole. Tämä puretaan.

– Minkä vuoksi?

– Kiinan muurin esitykset kuulemma lopetetaan.

Soitin Maunolle, joka ei tiennyt asiasta mitään. Eikä mahtanut sille mitään. Esitykset katkaistiin menestyksestä huolimatta. Tai ehkä sen vuoksi. Koskaan ei selvinnyt, miten ja missä tästä asiasta oli päätetty. Vallalla oli kuitenkin käsitys että Mauno Mannisen menestys oli liian suuri Kivimaalle aikana, jolloin hänen piti aloittaa pääjohtajana. Menestys piti katkaista.

Otin asian puheeksi Kivimaan kanssa ollessamme yhdessä Pariisissa seuraavana vuonna. Hän viittasi teatterin talousjohtajaan Teuvo Puroon tapahtuman moottorina.

Kiinan muuria ehdittiin näytellä 11 kertaa.

Melkein tasan kuukautta myöhemmin esitettiin Shakespearen huvinäytelmä Loppiaisaatto. Se on niin herkullinen, että pelkkä näytelmän nimen mainitseminen pelastaa pilvisen päivän.

Jos Kiinan muuri oli surrealistinen samaa voi sanoa tästä nerokkaasta tekstistä. Sen värikäs henkilögalleria tuntuu sisältävän kokonaisen maailman. Yhtä mittaa pulppuileva huumori tuntuu saavan voimansa syvimmästä kaipuusta. Kaikki roolit ovat hyviä. Olivia, Bastiano, Orsino, Narri, Räihä, Kälppäinen, Malvolio. Kaikista on muodostunut käsitteitä kuin Raamatun henkilöistä.

Minulla oli ilo saada Antreas Kälppäisen osa. Se on niin herkullinen, etten voi kuvitella kenenkään siinä epäonnistuvan. Antreas on paikkakunnalla vetelehtivä opiskelija, joka ilmeisesti rikkaan isänsä kustannuksella yrittää osallistua kaikkeen mutta voimattomasti, raukeasti. Olutta kuluu paljon ja sen juomisessa auttaa Antreaksen kaveri Topias Räihä, joka on Antreaksen vastakohta kaikessa muussa paitsi oluen juomisessa.

Olin nuori ja notkea enkä erityisen lihavakaan. Sain puvun, joka istui päällä kuin makkaranahka. Siitä ja pitkästä vaaleasta tukasta syntyi hauska kukonpojankaltainen vaikutus, josta kovasti pidin.

Eräässä kuuluisassa kohtauksessa yltyy Antreas esittämään uusia, Padovassa oppimiaan tanssiaskeleita. Humalassa kun on, hän liioittelee vahvasti. Kävi niin että ylipiukat housuni repesivät ristiin: polvesta polveen ja navasta selkään.

Vilho Siivolalle, joka esitti Räihää, kuului kommentoida tanssiaskeleita sanomalla:

Miksi tuollaiset taidot salassa pidetään?

Miksi tuollaiset avut kätketään esiripun taakse?

Tietysti hän vaihtoi sanan avut sanaksi kalut.

Sitten ei näyttämöllä tapahtunut pitkään aikaan yhtään mitään. Makasimme kulisseilla ja ulvoimme naurusta. Yleisö teki samaa.

Housut rikkonaisina tai ehjinä – rakastin sitä roolia. Niin kuin sitten kaksikymmentä vuotta myöhemmin rakastin Narrin roolia kun Lilla Teaternissa esitimme Loppiaisaaton.

Kun työtänsä tekee ilolla, laulaa aapiskukko.

Lasse Pöysti puolestaan ilahdutti mieltä verrattomana Antreas Kälppäisenä, jonka pelkkä naamiointi sai yleisön hirnahtamaan mielihyvästä. Lisäksi hänen ilmeilynsä oli verratonta ja osoitti aivan uusia ilahduttavia piirteitä tämän nuoren näyttelijän kehityksessä. Lasse Pöystissä näyttää olevan varteenotettavat luonnenäyttelijän lahjat, mikä ilolla todettakoon.

T.A. Sosialidemokraatti.

Matti(!) Pyösti(!) ritari Kälppäisenä taas saman henkilön pelkurimaisuuden ja hurskaan yksinkertaisuuden, jotka hahmottuivat selvinä ja vilpittömän koomillisina varsinkin kaksintaistelukohtauksessa. Hänen näkemänsä hahmo oli illan hauskimpia.

Eino Palola. Helsingin Sanomat

Kiinan muurin jälkeen totesimme Maunon kanssa että läheinen ystävyyssuhteemme oli ohi. Tietysti hänen syytöksensä persoonani vajavaisuuksista koskivat. Olin

kuitenkin – päiväkirjassani – syyttänyt itseäni vuosi-
kaudet samoista syistä (kukapa ei olisi), joten en ru-
vennut riitelemään. Itsesyytökset saivat nyt tilaa päivä-
kirjassa:

11.2.49.
Minun iässäni on lahjakas nuorukainen lukenut
muita kirjoja kuin ne, jotka minä voin sanoa tunte-
vani ja on kiinnostunut muustakin kuin erilaisista
tytöistä, joita hänen päiväkirjansa laajasti kuvailee.
Sitäpaitsi minun suruni eivät ole erikoisen valtavia
eivätkä pitkäaikaisia ja iloni hetken hypähdyksiä. Ja
Mauno on poikkeuksellisen lahjakas henkilö, siitä ei
ole epäilystä.

239

Eniten masensi pelko siitä, että samalla menettäisin kontaktini Luotsikadulle. Kun niin ei käynyt, oli helpotus suuri. Käytössäni oli erään ystävän sulkavene. Kutsuin Erikin purjehtimaan. Hän piti siitä kovasti. Ja miksi ei pitäisi.

Kaikkihan tietävät, että Erik Tawaststjerna pelkää vetoa. Mitenkä ne sanovat: kaksi hyttysen siiven liikettä on Erikille myrsky? Niinpä hän tuli veneeseen lämpimästi puettuna ja istui siellä paksuun froteekylpytakkiin kietoutuneena. Jos väittäisin, että hänellä oli yllään kuuluisa sudennahkaturkkinsa menisin ehkä liiallisuuksiin. Erik oli juuri kuullut Tristan ja Isolden Hampurin oopperassa ja hyräili sitä veneen liukuessa kohti ulkoluotoja. Ongimme muutamia ahvenia. Madot pistin minä koukkuun.

Kun nousimme maihin Harmajan luona oleville luodoille Erik muuttui villiminkiksi. Ulkoluotojen harvinaiset kasvit! Vähässä ajassa hän loikki ne kaikki ja tunnisti myös.

Mauno, Erik ja Carmen

Erik Gandhina

Mauno ja härkä

XIX

Suuri laitosteatteri ei ole hauska paikka nuorelle näyttelijälle. Minulla oli ollut tasaisesti töitä. Useimmat tehtävät olivat kovin pieniä mutta joukkoon mahtui merkityksellisempiäkin rooleja.

Kaikkien laita teatterissa ei ollut yhtä hyvin. Käytävillä eli huoli siitä, ettei päässyt kehittymään eikä näyttämään mihin pystyi. Ehdotin kollegoille että tekisimme asialle jotain. Hankitaan näytelmä, harjoitellaan salaa ja näytetään sitten niille! Niin tehtiin. Löysin jostain ranskankielisenä laitoksena Lorcan pikkunäytelmän, jota ei ollut Pohjoismaissa esitetty. Siinä oli sopivasti rooleja kaikille tarvitseville. Päätettiin tehdä roolijako niin että ne, joilla oli ollut vähiten työtä, saisivat suurimmat tehtävät ja päinvastoin. Kirsti Ortola ja Oke Tuuri saivat pääroolit ja Eeva Kaarina Volanen ja Kyllikki Forssell esittivät kylän naisia. Käänsin näytelmän ja harjoitukset alkoivat. Teimme työtä omalla ajallamme. Teatterin harjoitusten jälkeen jäimme taloon. Minä ohjasin.

Se oli kovin hauskaa aikaa. Yhteen hiileen puhaltaminen lienee oikea ilmaus tässä paikassa.

Kun olimme saaneet esityksemme jonkinlaiseen kuntoon kerroimme siitä teatterin johdolle ja pyysimme heitä katsomaan. Näyteharjoituksen jälkeen ilmoittivat he olevansa kovin tyytyväisiä. Näytelmä otettaisiin heti paikalla teatterin ohjelmistoon ja me saisimme jatkaa työtämme teatterin harjoitusajalla. Ensi-ilta olisi kohta syksyllä.

Leikki muuttui todeksi. Nyt tuli kuvaan yleisö, arvostelijat, lavasteet ja puvut.

Lorcan Yerman harjoituksista löytyi ranskaa puhuva espanjalainen Vicente Rossel de Messia. Hän opetti maalausta Vapaassa Taidekoulussa ja hoiti espanjan kielen lehtoraattia yliopistossa. Hän suostui suunnittelemaan lavasteet ja puvut.

Vicente tuli seuraamaan harjoituksia. Ilmeni että ranskalainen teksti oli tyypillinen ranskalainen adaptaatio. Siinä oli Lorcaa vain nimeksi. Vicente kieltäytyi työskentelemästä tämän tekstin pohjalla. Olimme hänen kanssaan samaa mieltä. Niin alkoi uusi käännöstyö. Vicente käänsi espanjasta ranskaksi, ja minä jatkoin siitä suomeksi.

Näytelmän nimi on espanjaksi La zapatera prodigiosa, Omituinen suutarinvaimo. Me ristimme sen Ruusuksi ja naskaliksi. Se on runollinen tarina iäkkään

Ruusu ja naskali. Oke Tuuri, Kirsti Ortola. Suomen Kansallisteatteri 1949.

suutarin nuoresta ja verevästä vaimosta. Eräänä päivänä suutari kyllästyy vaimonsa unelmointeihin nuorista uljaista miehistä ja lähtee tiehensä. Toisessa näytöksessä hän tulee takaisin naamioituneena kiertäväksi sadunkertojaksi. Pyynnöstä hän sitten kertoo tarinan – omansa – näyttäen yleisölle kankaille maalaamiaan dramaattisia kuvia. Tarinaa kuunnellessaan ja kuvia katsellessaan suutarinvaimo tuomitsee ankarasti sankarittaren – itsensä. Liikuttuneena suutari paljastaa henkilöllisyytensä. Vaimo ryntää onnellisena hänen kaulaansa, mutta on kohta valmis kurittamaan äijäänsä, vaikkapa luudalla.

Ryhmäämme kuuluivat edellä mainittujen lisäksi Ekke Hämäläinen, Heikki Savolainen, Rauha Rentola, Matti Ranin, Matti Oravisto, Tarmo Manni sekä Oke Tuurin poika Nisse-Pertti.

Ensi-ilta oli heti syksyllä – kauden avauksena. Esitys sai kaikkialla erittäin suopean vastaanoton. Näytelmää sanottiin löydöksi, käännöstä omaperäiseksi, Vicenten työtä erinomaiseksi, ohjausta puutteineenkin hyväksi. Kirsti Ortolan kohdalla puhuttiin läpimurrosta useissa lehdissä. Ennen kaikkea saavutettiin tarkoitus: studionäyttämöiden tarve ja nuorten teatterilaisten työnhalukkuus tulivat selvästi näkyville. Molemmat kysymykset saivat palstamillimetrejä lehdissä.

Teatterin johto oli tyytyväinen. Heti esiripun sulkeuduttua tarjosi Kivimaa – jo näyttämöllä – minulle ohjaajasopimusta seuraavaksi vuodeksi! Kun kävin neuvottelemassa hänen luonaan hän ehdotti ensimmäiseksi ohjaustyöksi Kafkan Prosessia. Se tuntui minusta vähän liian isolta palalta näin alkuun.

Vicentestä tuli sitten ikuinen ystävä johon kontakti on valitettavasti vähitellen katkennut hänen muutettuaan ulkomaille. Viimeksi tapasimme hänet Bissen kanssa Pariisissa Billancourtin elokuvastudioilla. Hän valokuvasi mainoskuvat elokuvaan Charade, tähtinä Audrey Hepburn ja Cary Grant. Hän esitteli meidät

Vicente

hurmaavalle naistähdelle. Sitä ennen oli hän tehnyt mainoskuvat elokuvaan The Longest Day.

Vicente oli merkillinen henkilö, täynnä paradokseja. Monivuotisen ystävyyden jälkeenkään en oikein tiedä, kuka hän oli.

Opetettuaan maalausta varmaan kymmenen vuotta ja haukuttuaan suuren osan Suomen maalaustaiteesta hän piti juuri ennen lähtöään näyttelyn. Se ei ollut menestys. Se antoi kaikille hänen peittoamilleen mehevän tilaisuuden kostoon.

Hän eli mielellään kadulla. Hänet löysi helposti Esplanadilta, jossa hän kulki espanjalaisittain suoraselkäisenä ja leukapystyisenä duffelissaan ja matalassa lierihatussaan. Miehenä hän oli komea. Ja ihmisenä hauska. Hän kulki hyvin kiilloitetut kengät kolmekymmentä astetta ulospäin suunnattuina. Askelrytmi oli verkkainen. Kädessä hänellä oli tavallisesti kaunis nahkaselkäinen kirja, suussa tyhjä piippu.

Vicenten kanssa vietimme kesän mehevästi elämästä nauttien.

Päivät alkoivat vaikkapa piirustuskurssilla Kalastajatorpan kallioilla. Minäkin yrittelin saada mäntyjä tart-

245

tumaan lehtiölle. Kurssin jälkeen siirryimme viereiselle saarelle, joka silloin vielä oli rakentamaton. Sinne Vicente oli virittänyt köyden, jonka yli pelasimme lentopalloa Postisäästöpankin tyttöjen kanssa. Vicente oli nimittäin jossakin tavannut tytön, josta hän tiesi vain sen että tyttö oli pankin palveluksessa. Löytääkseen neitosen Vicente ehdotti pankin johdolle, että hän voisi järjestää henkilökunnalle voimistelukursseja. Ja tässä nyt oltiin.

Pallopelin jälkeen kävelimme Vicenten kotiin, jossa hänen englantilainen vaimonsa Joan tarjosi lounaan. Avioliitto särkyi pian sen jälkeen kaikessa sovussa. Lounaan jälkeen läksimme kaupungille. Nybergin lihakauppa oli siihen aikaan Fredrikinkadulla. Sieltä sai erinomaista sisäfilettä, jota sodan jälkeen ei vielä juuri oltu nähty kaupoissa. Aivan sen vieressä oli hiljattain avattu Hildénin herkkuleipomo, ensimmäinen sodan jälkeen. Sieltä sai kermaleivoksia, nekin ensimmäisiä sodan jälkeen. Ostimme muutamia, vaikkapa tuulihattuja. Veimme herkut kotiini jossa asuin kesän yksin. Sitten purjehtimaan. Matkalla veneelle ostimme muutamia USA:n armeijan ylijäämävarastosta maahan saatuja sikaareja.

Naureskeltuamme päivän merellä odottivat pihvit, punaviini, kahvi, kermaleivokset ja sikarit kotona Kalevankadulla.

Ja huomenna olisi taas uusi päivä!

Ruusun ja Naskalin ensi-ilta oli syyskuun kahdeksantena. Samassa kuussa oli vielä Roger Ferdinandin kirjoittaman komedian 3 poikaa ja tyttö ensi-ilta. Siinäkin oli isä harhateillä. Vaaralliseen ikään ehtinyt tehtaanjohtaja on joutunut nuoren lemmen pauloihin, avioero ja perheen hajaannus uhkaavat. Mutta silloin puuttuvat asioiden kulkuun »kolme poikaa ja tyttö», ja panevat liikkeelle sellaisen strategian ja taktiikan, kokonaisen vyöryn toistaan liikuttavampia ja hullunkurisempia keinoja ja koukkuja, että toivottu tulos saavutetaankin: isä jää kotiin ja perhe on pelastettu.

Jostakin syystä en tahtonut millään saada otetta roolista, joka oli sellainen hyvin ranskalainen poika. Luultavasti olin näytellyt niin paljon nokkelia, näsäviisaita pojanvesseleitä, ettei tuoretta aluetta tuntunut enää löytyvän. Arvosteluissa esiintyneet maneerivaroittelut osaltaan kahlitsivat mielikuvitusta. Olin tosiaan onneton.

Kerroin murheestani Luotsikadulla. Carmen ja Erik ottivat asian käsittelyyn. Kerroin näytelmästä, juonesta ja roolistani.

Nahkhiir. Lasse Pöysti, Matti Oravisto, Ruth Snellman, Matti Ranin, Eeva-Kaarina Volanen, Rafael Pihlaja.

– No, mitä sinulla on päälläsi?

Kuvailin minulle suunnitellun vaateparren.

– Kauheata! Hirveätä! Ranskalaisessa näytelmässä! Ja sinut puetaan kuin hämeenlinnalainen puotipuksu. Sinun on oltava ranskalainen gamin. Päälläsi jo-

tain, mitä vain, kunhan se poikkeaa muista ja ärsyttää kaikkia.

Niin koluttiin läpi Luotsikadun kaapit. Ullakolta löytyi Erikin isän, professori Tawaststjernan hihaton nahkaliivi.

– Tämä! sanoi Erik. Tähän ostat kirkkaanvärisen puseron. Useita kirkkaita värejä. Ja muista että olet hävytön ja rento. Koko ajan!

Ristimme liivin Nahkhiireksi, joka on lepakon eestiläinen nimi.

Toivo rinnassa pyöräilin syysillassa kotiin Nahkhiir tavaratelineellä.

Tein niin kuin sanottiin. Sain myös uuden asuni läpi. Vilho Ilmari piti näyttelijöiden omista aloitteista.

Suuri menestys. Kiitos Nahkhiiren antaman itseluottamuksen.

Lasse Pöystin Michel oli täysosuma, ranskalaisin kaikista huolettomasti pudottelevassa replikoinnissaan ja kaikesta jännityksestä vapaassa esiintymisessään. Se älykkäästi ja hyvällä huumorilla keksittyjen vivahdusten runsaus, jolla hän elävöitti tämän varhaiskypsiä viisauksia laskettelevan poikanulikan kuvan, oli kerrassaan riemastuttava.

S.U-ll Helsingin Sanomat

Kaikki muut arvostelut olivat samanlaisia. Eikä kukaan edes puhunut maneereista. Tosin yksi arvostelija väittää Micheliä Suomisen Ollin ranskalaiseksi versioiksi, mutta luultavasti hän ei tarkoittanut pahaa.

Kesän ja syksyn aikana valmistui joitakin filmejä.

Katupeilin takana – kaino kosija.

Sinut minä tahdon – nokkela pojanvesseli.

Professori Masa – hauska kamreeri.

Isäukko ja keltanokka tehtiin juuri ennen lähtöäni Pariisiin. Nimirooleissa Joel Rinne ja minä. Edvin Laine ohjasi. Elokuvaa varten värjättiin tukkani mustaksi. Kun se sitten piti valkaista takaisin omaan väriini siitä

Tuhkimo

tulikin punainen. Siinä sain sitten esittäytyä unelmieni kaupungille.

Arvostelut kiittivät.

Lankesi luonnostaan, että olin aina mukana satunäytelmässä. Tänä vuonna se oli Larin Kyöstin Tuhkimo. Se ei ollut mikä satunäytelmä hyvänsä vaan kotimainen klassikko johon sitä paitsi liittyi Selim Palmgrenin kuuluisa musiikki. Tehtävä tuntui haasteelta. Olin kovin helpottunut, kun arvostelut olivat kauttaaltaan kiittäviä. Joukossa oli yksi, josta olisin vaikka painattanut paitakankaan. Kauppalehden A.A.V. sanoo nimittäin näin: Lasse Pöystin Tuhkimo oli hyvä; hänhän soveltuu yllättävästi jo romanttiseksi prinssiksikin.

Toinenkin tehtävä tuki itsetuntoa. Jouduin paikkaamaan Joel Rinteen roolin Oscar Wilden Lady Windermeren viuhkassa jossa hän oli ollut hyvä. Ei enää pojanvesseli vaan aikuinen mies. Charles Surface on vallaton, velkainen tuhlaajapoika lordien maailmassa. Sain pari arvosteluakin, jotka hyväksyvät työni suuremmitta murinoitta. Eräs tosin valitti ettei paheellisuus ollut uskottavan tuntuista. Se kiltteys nääs, se kiltteys!

Luokseni tuli Birgitta Ulfsson. Tunsin hänet vanhastaan. Hän pyysi Lorcan näytelmän tekstiä. Aikoi käyttää sitä jossain. Jäimme juttelemaan. Tietysti teatterista. Esiinnyin kokeneena veteraanina ja siteerasin Kansallisteatterin jättiläisiä, Uuno Laaksoa, Aku Korhosta.

– Tärkeintä on katsos nöyryys taiteen edessä. Jos et ole nöyrä, ei teatterityöstä tule mitään.

– Miten sinä voit sanoa noin? Kehtaatko väittää, että olet todella nöyrä kaikkien kehuvien arvostelujen jälkeen? – En. No en. En oikein kunnolla. Mutta kas, sellaisissa tapauksissa täytyy löytää tekninen nöyryys.

Ei kai tarvitse sanoa, että olen saanut syödä ne sanat muutaman kerran erilaisissa pakkauksissa.

Tekninen nöyryys on kuitenkin olemassa. Se saadaan aikaan niin, että näyttämötehtävä tehdään itselle niin vaikeaksi, että siitä vain henkensä kaupalla selviää. Uusia kuvattavia tasoja kyllä löytyy ihmisestä, jos uskaltaa etsiä. Työn ei tarvitse jäädä helpoksi.

Vihdoin helmikuussa 1950 olin vapaa kaikista tehtävistäni teatterissa ja elokuvassa. Olin jopa saanut Alli Paasikiven stipendinkin. Se ei tosin ollut kovin suuri, mutta voisin elää sillä Ranskassa ehkä pari kuukautta. Luulen että Arvi Kivimaa oli järjestänyt sen minulle kun Ranskan lähetystöstä odottamaani apurahaa en saanut.

Kivimaa varusti minut lisäksi mahtavin paperein. Liikuin Pariisissa melkein teatterinjohtajan valtuuksin. Oli oikeus valita ja ostaa näytelmiä Kansallisteatteria varten.

Ghita, Pelle, Birgitta, Bo, Staffan, Ulla ja Keitäsiellä oli järjestivät kovat läksiäiset. Ullan kanssa puhuin koko sen yön espanjaa, sen muistan hyvin. Aamulla taisin myöhästyä jostain kulkuvälineestä. Postibussilla pääsin kuitenkin Turkuun. Hyvin epäsuosittuna, sillä syklaami jonka olin saanut läksiäisiksi putosi auton lämmityslaitteen päälle vieressäni, kärisi kelvoton siinä ja sai aikaan saman vaikutelman kuin Pudin laulu Ruotsalaisessa teatterissa.

Turusta vei laiva Tukholmaan. Junalla matkustin Osloon, sitten Göteborgiin, Malmöhön ja Kööpenhaminaan. Joka paikassa tutkin teatteria ja teatterirakennuksia sekä esityksissä että harjoituksissa, opintomatkalla, nääs.

Kööpenhaminasta lähtiessä istui kolmannen luokan vaunussa vastapäätä kuuluisan sirkusperheen nuori vesa. Hänkin matkalla Pariisiin. Tulimme Flensburgiin. Suurin silmin katselin pieniä pulloja joita myytiin asemasillalla kärryistä kuin viikkolehtiä. Sirkus huomasi hämmästykseni ja kipaisi ostamassa lajitelman yöksi.

Ohimot jonkin verran kireinä raahasin aamulla runsaita matkatavaroita ulos Gare du Nordista.

Edessä kuhisi kaupunki, jossa tulisin sitten aina olemaan jeune, beau et doue. Nuori, komea ja lahjakas.